선물 같은 진경

선물 같은 진경

초판 1쇄 펴낸 날 | 2024년 2월 9일
초판 1쇄 수정쇄 | 2024년 2월 23일
저   자 | 이효인
펴낸이 | 한건희
펴낸곳 | 주식회사 부크크
출판사 등록 | 2014.07.15.(제2014-16호)
주   소 | 서울특별시 금천구 가산디지털1로 119 SK트윈타워 A동 305호
전   화 | 1670-8316
이메일 | info@bookk.co.kr

ISBN | 979-11-410-6943-8

www.bookk.co.kr

선물 같은 진경

이효인 연작소설

건널목 위 상필

1.

아버지는 나에게 이런 말을 하였다. 서울에 있는 Q 대학 경제학과에 합격하여 짐을 다 꾸린 후였다.

"누구나 자신이 가장 상처를 쉽게 받는다고 생각한다. 하지만 그 말은 반만 맞다. 상처받지 않는 사람은 없다는 점에서 그 말은 맞지만, 사람마다 상처의 깊이와 고통은 제각각이라는 점에서는 틀린 말이다. 이점을 항상 명심하면서 사람을 대해라"

그때 나는 그 말의 의미를 이해하지도 못하면서 고개까지 끄덕이며 명심하겠다고 말했다. 얼른 그 자리를 피하고 싶었기 때문일 것이다. 아버지는 현관을 나서서 좁은 마당에 간신히 자리를 차지하고 있는 주목과 측백나무 앞에 서서 마치 나무들과 할 말이라도 있다는 듯 쳐다보며 담배 연기를 내뿜었다. 당시 아버지는 다니던 신문사에서 해직된 후 출판사나 인쇄소에 구직 활동을 하고 있었다. 좀처럼 내색하지 않던 아버지는 내가 군대를 제대하고 다시 복학한 4학년 때 가출했다. 아버지의 그 말을 미루어 보건대 아마도 깊고 커다란 상처의 고통이 있었을 듯싶다.

2.
화장실에 가기 위해서는 테이블이 여덟 개 있는 홀을 가로질러야 했다. 홀에는 혼자 짜장면을 먹는 한 사람과 마주 보고 짬뽕을 먹는 두 사람이 있었다. 흰 줄이 있는 검은색 트레이닝 하의를 입고 초록 바탕 체크무늬 셔츠를 걸친 반백의 남자는 오로지 그릇만 보며 짜장면을 입에 밀어 넣고 있었다. 불쑥 나는 그의 앞자리에 앉았다. 할 말이 있었던 것이 아니라 너무 외로워 보였기 때문이었다. 그는 앞에 앉은 나를 2초 정도 보더니 내가 말을 않자 다시 고개를 숙이고 짜장면을 젓가락으로 휘저으며 말했다.

"나 돈 없어. 이거 다 먹고 나면 그냥 잡아가서 구워 먹든, 삶아 먹든 맘대로 해"

나는 자리에서 일어서서 일행이 있는 룸으로 돌아왔다.

문을 열고 들어서는 나와 눈이 마주친 진경은 눈웃음을 지으며 "쉬 쉬. 비택이 왔다." 하며 말했다. 나에 대해 무슨 말을 했냐고 앉으면서 내가 묻자 다들 웃었고, 진경이 "니 얘기 안 했어. 그냥 놀려본 거야"라고 말하고는 빈 백주 잔을 홀짝 들이켰다. 원형 테이블에는 진경을 기준으로 시계 방향으로 수경, 승훈, 상필 순으로 앉아 있었는데, 내가 앉자 상필이 팔꿈치로 내 팔꿈치를 가볍게 건드리면서 말했다.

"방금 니가 옮긴 회사에 대해 얘기했어."

임원 승진에 탈락한 나는 5개월 전에 정밀 베어링회사의 상무직으로 옮겼다. 월급이든 뭐든 다 낮춰서 옮겼지만 얼마나 있을 수 있을지 장담할 수 없는 직장이었다. 한국에서 남자가 사십 대 중반이 되면 선택할 수 있는 것은 별로 없다. 회사는 물론이고, 가족과 친구는 저절로 따라오는 것이며, 식생활과 취미조차 선택하는 것이 아니다. 대학 동기이자 남편인 승훈이 수경에게 좀 그만 먹으라고 말하자, 승훈을 잠깐 째려보곤 우리를 둘러보며 "평생 이 말을 듣고 산다"라면서 던지듯 젓가락을 내려놓았다. 어색한 분위기가 되자 "애들은 이런 것으로 우릴 위로하려고 하지. 자!"하며 상필이 잔을 치켜들었다. "속지 말자. 사랑놀이"하며 진경도 장난스러운 표정으로 잔을 내밀었다. 그때 문이 열리면서 홀에서 짜장면을 먹던 반백의 남자가 불쑥 들어오자 다들 의아한 눈으로 그를 쳐다보았다. 그는 문을 열고 내디딘 상태에서 왼손을 왼쪽 귀에 대고는 이야기를 듣는 흉내를 내면서 눈으로 우리를 훑었다. 나와 눈이 마주치자, 그는 엄지를 검지와 중지 사이에 끼운 손가락 욕을 하고는 휭 나가 버렸다. "뭐야?" 승훈이 소리쳤고, 진경은 나를 보며 "저 사람 아는 사람이야?"하고 물었다. 나는 양 손바닥을 올리며 모른다는 시늉을 했다. 내가 저지른 쓸데없는 짓 때문에 벌어진 해프닝이었다.

3.
중국집 앞에서 승훈과 수경이 대리운전 기사를 불러 출발한 후 상필이 한 잔 더 하자고 제안했다. 진경은 "좋지"라고 말한 후 나를 힐끗 보았다. 나도 모처럼 만난 진경과 무슨 얘기든 좀 해야 할 것 같아서 고개를 끄덕이며 동의했다. "차는 이 집에 하룻밤 정도 놔둬도 될 거야."라면서 상필은 다리를 절면서 인도로 나가 택시를 잡았다. 상필은 허리 디스크 수술 후유증으로 다리를 약간 절었다. 평소에는 표 나지 않게 노력하지만, 주의를 풀면 티가 났다. 2002년 미군 장갑차에 깔려 죽은 한국 소녀들의 무죄 관결에 항의하는 촛불시위가 일어났을 무렵 상필은 군에서 제대했다. 그는 겨우내 시위 현장을 떠나지 않았을 뿐 아니라 관련 시민 단체에서 맹렬하게 활동하였다. 차가운 시멘트 위의 잠과 빈약한 식사 그리고 극한 감정이 허리 디스크 발병의 원인이었을 것이다. 졸업 후 그는 인문 교양서를 주로 펴내는 작은 출판사에 근무하면서 퇴근 후에는 정치 플랫폼과 개인 블로그에 많은 시간을 쏟았다. 자신의 정의 기준과 윤리 감각에 의한 상필다운 행동이었지만, 자아실현인 동시에 세상을 향한 인정 투쟁이었다. 비판 대상엔 한계가 없었고, 특정 정당을 지지했지만, 전략적 배려로 비판을 삼가는 법이 없었다.

그와 비슷한 인물로는 교수인 K 모, 정체불명의 대졸자 J 모 등이 있었다. K 모는 지적으로 성실하다는 면에서는 존중받아 마땅하지만, 너무 성실한 나머지 통찰보다는 정보 취합을 통한 순간적인 판단만으로 글을 쓰는 경향이 있었다. 게다가 자기 확신이 지나친 편이었다. J 모는 한때 K 모와 같이 책도 내기도 했지만, K가 자신과 의견이 달라지자 마치 정적을 짓밟듯 K를 비판함으로써 각자의 길로 가게 되었다. J는 SNS 활동도 열심이었고 정치 지형에 따라 교묘하게 자신의 입지를 구축하면서 세간의 주목을 얻었다. 다들 J에 대해서는 추하게 늙어간다고들 했다. 그리고 이들과 역시 '한때' 같이 했던 논객 K2 모도 있다. K2 역시 K와 J와 비슷한 '전방위 정치사회비평가'이지만, 무슨 이유에서인지 그의 비평 대상은 주로 진보 진영 사람들이었다. 아마 심약성 혹은 과민성 질투 때문이었을 것이다. 이들의 공통점은 이상한 가학성을 지니고 있으며, 자기 성찰력이 극히 부족한 데 반해 인정투쟁력은 너무 강하다는 점이었다. 상필은 그들 연배보다는 20년 정도 아래 나이였고 내세울 만한 사회적 위치나 전통 언론의 지원도 없었지만 싸워야 할 사안이라면 주저하지 않았다. 상필이 사이버 공간과 정치 마니아들 사이에서 주목받은 것은 앞의 세 사람을 '전방위 정치사회비평가'로, 자신은 '엑스퍼트 expert 정치비평가'로 차별화하였기 때문이었다. 상필은 특히 그들의 태도 즉 상필의 표현을 그대로 옮긴다면, '누구에게든 가르치려고 들고, 윤리 감각 없는 왜곡된 태도'를 지적하였기에 더 설득력이 있었다.

　사이버 논객이 된 상필은 그렇게 10년을 보낸 후, 국회의원 비서가 되었다. 그가 모시던 의원이 재선에 실패하자, 당에서 자리를 찾거나 다른 의원 밑으로 들어가는 관행과는 달리, 깨끗하게 자리를 털고 나왔다. 아이 없이 이혼한 터라 운신이 가벼울 수도 있었지만, 밥벌이를 구하느라 아쉬운 소리를 하기에는 자존심이 강한 탓도 있었다. 상필에게는 결벽증도 있었는데, 그는 그것을 과시하는 편이었다. 계산을 마치고 나온 식당에서 제법 떨어진 곳에서도 계산서를 보고는 소주 한 병이 덜 계산되었으면 다녀오는 식이었다.

4.
택시를 내린 곳은 용산역 맞은편 식당 골목이 끝나는 지점이었다. 주홍색 바탕에 검은색의 기울임체 영어로 하이 멜랑콜리('*High Melancholy*')라고 적혀 있었다. 지하로 향하는 계단을 내려가서 문을 열자, 술 썩은 냄새가 시름하게 났다. 바의 바깥쪽에 앉아 있는 늙은 여자 두 명이 우리를 힐끗 쳐다보았고, 상필은 익숙하게 테이블 사이를 헤집고 가서 구석 자리에 털썩 앉았다. 진경과 내가 주변을 둘러보느라 서 있자, "뭐해? 앉지 않고."하고는 바 안쪽에 있는 여자 주인을 향해 손을 들었다. 나와 진경은 맥주를, 상필은 소주를 마셨는데, 화제는 사업이 망하거나, 퇴직 후 어렵게 사는 동창들에 대한 것이었다. 하지만 상필과 진경 모두 이혼을 한 터라 어쩌다 동창들의 이혼 얘기가 나오면 말을 돌리곤 했는데, 상필이 진경에게 불쑥 재혼 안 하냐고 물었다. 진경은 웃으며 "좋은 사람만 있으면 하지."라고 응수했다. 좋은 사람 기준이 뭐냐고 상필이 재차 묻자, 진경은 그걸 꼭 말로 해야 하냐면서도 장난스러운 표정으로 대답했다. "나보다는 키가 크고, 자기 밥벌이는 할 줄 아는 사람이며, 잘생기면 더욱 좋고 ……"라고 말하자, 어느새 술에 취한 듯한 상필이 우격다짐하듯 "야, 그러지 말고 하나만 딱 말해봐. 돈 아냐?"라고 반문했다. 그때 제목을 알 수 없는 색소폰 연주 음악이 천장을 떠돌다 우리 테이블까지 밀려 들어왔다. 진경은 손을 내밀며 "잠깐" 하더니 고개를 약간 숙인 채 그 음악을 잠시 듣다가 고개를 들고는 눈을 가늘게 뜨고 내 눈을 맞추며 "이럴 때 뭐라 말해야 하니, 비택아?"하며 되물었다. 그 표정에서 나는 그녀가 사랑스럽고 친밀하다고 느꼈다. 하지만 상필의 큰 목소리에 담긴 어처구니없는 단어 때문에 색소폰 소리는 원래 왔던 곳으로 돌아가 버렸다.

"뻔하지. 조국 같은 남자지 뭐. 키 크고 잘 생기고, 학벌 좋고 출세했고. 하지만 그건 그렇겠다. 그렇게 잘난 놈은 여자들에게 인기가 많으니 신경 쓰이는 거, 그거 하나는 힘들겠다."

나와 진경을 번갈아 보며 입을 삐죽거리며 말하는 상필의 눈에는 거칠고 날카로운 빛이 감돌고 있었다. 의외의 말에 잠시 침묵이 흐르자, 상필은 더 높은 톤으로 말을 이었다.

"그 정도 잘난 남편이라면 그 정도는 감수해야 하는 거 아냐?"

그러고는 킬킬거리며 웃었다. 진경은 핸드백과 핸드폰을 들고는 화장실 간다는 시늉을 하며 자리를 피했다. 진경이 나가는 사이 문득 나는 어젯밤 꿈을 떠올렸다. 기억나지 않는 여러 사람이 있었고, 누군가 각자의 죽는 시간을 알려주는 상황이었다. 얼굴이 기억나지 않는 어떤 사람은 칠 년 후에 죽고, 그 옆의 사람은 삼 년 후에 죽으며, 나는 바로 내일 죽는 것으로 공지되었다. 그 순간 두려움이 전혀 없지는 않았지만, 마음이 편해졌다. 드디어 이 힘든 삶을 끝냈을 수 있게 되었다는 작은 환희를 느끼면서 아들의 미래에 대해 잠시 걱정했던 것 같다. 하지만 아들 또한 잘 살아가리라 생각했던 것 같은데, 꿈의 마무리가 정확하게 기억나지 않았다. 현실에서도 나는 영화의 끝 장면을 잘 기억하지 못하는 편이니 당연한 일인지도 모르겠다. 간밤의 꿈 생각에 빠져있는 동안 상필은 소주잔을 홀짝 비우더니 좀전의 들뜬 야비한 표정에서 심각한 표정으로 돌아와서는 나를 힐끗 보더니 무심한 억양으로 물었다.

"넌 조국이 억울하다고 생각하냐?"

"억울하다 말다, 그깟 지방대 표창장 하나로 100번도 넘는 압수 수색을 당하고, 검찰은 언론에 온갖 허위 정보를 흘려서 아내는 물론 자식들까지 그렇게 난도질당했으니. 우리 같으면 아마 자살했을 거야."

"사람에 따라 다르지, 보통 사람이면 그냥 넘어갈 일도 검찰개혁을 하겠다는 법무부 장관의 일이라면 그렇게라도 뒤져야지 ···· 문재인이 2012년 대선 때 권한과 책임이 비례하는 사회가 될 거라고 했잖아, 그러니 그 정도는 감당해야지."

"그게 상식적인 사람들에게도 정당하게 보일까?"

"그럼, 정당할 뿐 아니라 더 해야 한다고 주장하는 사람도 많아."

"그 사람들 왜 그런 생각하는지 알아? 질투야 질투, 패자들의 질투이거나 더 많은 걸 가지려고 혈안이 된 놈들의 질투, 아니면 검찰개혁이 되면 뭔가 두려운 자들의 불안과 경계 그런 거지 뭐."

"그럼 하나 물어보자. 기회는 평등하고 과정은 공정하며 결과는 정의로울 것이라며?"

"그걸 지향하며 노력했지만 사회 시스템이 어떻게 몇 년 만에 바뀌냐? 자꾸 공정, 공정 그러는데 옛날 파울 판정이 엄하지 않을 때 넣은 축구 골을 지금 기준으로 노골이라고 하는 것과 같은 거야. 너도 알잖아? 알면서 왜 자꾸 억지를 써? 질투야, 열등감이야? 도대체 뭐야?"

"질투? 열등감? 물론 그런 것도 있을 거야. 근데 너야말로 참 나이브하게 보는구나. 조국도 그렇고, 조희연도 그렇고 어, 그러고 보니 둘 다 조 씨네. 자기들 자식은 전부 외고 보내놓고 왜 교육제도를 고치니, 외고를 없애니 하는 거야? 그게 다 선민의식이야. 자기 애들은 좋은 대학 갈 자신 있다고 생각하니까 무지렁이들을 위해 평준화 교육을 하겠다는 거 아냐? 세상에 평준화 교육이 어디 있어? 북한에도 김일성대학이 있고, 프랑스, 영국, 미국 등도 얼마나 입시 경쟁이 치열한데. 그 속에서 필요한 엘리트들이 나오는 거잖아.´근데 왜 자기 애들 다 외고 보내고 나서 그딴 소릴 하는 거야? 백번을 양보해서 뒤에 생각이 바뀌었다면, 요즘 얼마나 매체가 많아, 공개적으로 사과라도 하고 그 반응을 본 후 일을 벌여야지. 내가 열 개의 좋은 일을 했으니, 하나쯤은 슬쩍 나한테 유리하게 해도 된다는 거 아냐? 사람들이 모를 것 같아? 다 알아. 그래서 더 분노하는 거야. ”

　“그래서 서울대니, 고대 학생들이 그렇게 촛불을 들고 모인 거야? 걔들 정말 웃기지 않아? 양심도 자존심도 없는 놈들 아냐? 평소 사회적 약자 문제에 대해 찍소리 않던 놈들이 ⋯.”

　“지금 걔들 얘기하는 게 아니잖아. 많은 사람이 두 조씨에 대해 느끼는 감정을 설명하는 거잖아. 말 나온 김에 한마디만 더 하자. 조국이 장관 취임사에서 바다에 맹세하고 산에 다짐한다는 이순신의 말 서해맹산(誓海盟山)까지 끌어왔는데, 그 상황 파악 못 한 건 별개로 하더라도 왜 그렇게 자아도취가 하늘을 찌르는 거야? 책에서 배운 대로 겉으로 어떻게 해야 한다는 겸손 외에는 겸손을 몰라. 설사 문재인을 향한 충정과 자신의 의지를 밝힌 것에 불과하다고 순진하게 봐주더라도, 상대편의 적들 그리고 어쩔 수 없이 더러운 물에 손발을 담그고 살아갈 수밖에 없는 사람들에게는 어떻게 비쳤겠어? 아무것도 아쉬운 것 없어 보이는, 멋있고 잘생겼고 출세한 자의 엄포에 대해

반감을 품지 않았을까?"

"사람들이 기억도 못 하는 장관 취임사에서 그 정도 말 한마디 한 게 뭐 그렇게 잘못했다고 몰아치는 거야? 너야말로 미워할 준비를 하고 헤어질 결심을 한 거 같다. 왜 그렇게 삐뚤어진 거야?"

"뭐, 삐뚤어져? 할 말이 없으니까 …… 논리적으로 답을 해봐."

5.

상필이 목소리를 높이자, 주변 손님들의 시선이 우리에게로 몰렸다. 나는 손을 들어 상필을 진정시키는 동작을 하며 핸드폰의 메시지를 보았다. 진경이 보낸 메시지였다. "미안, 나 그냥 인사 없이 나왔다. 계산은 내가 했어. 연락해." 진경이 가버렸다고 내가 말했는데도 상필은 들은 척 만 척하며 고개를 숙이고는 열을 삭히고 있었다. 상필의 그런 태도를 보자 사그라들었던 반감이 불쑥 치밀어 오른 나는 맥주를 들이켜고는 목소리는 낮추되 또박또박 말했다.

"나도 그 흐리멍덩한 문재인이 잘했다고 생각지 않아. 추미애 물러나게 한 것도 문재인이잖아. 또 너 말대로 조국이 비판받을 건 받아야 한다고 생각해. 하지만 아무리 책임 있는 지위에 있다고 하더라도, 너무 하잖아. 차라리 남자는 죽이고 여자는 노비로 만드는 조선 시대 멸문지화

형벌이 낫지. 그건 징벌의 야만성이 드러나고 모욕 또한 단발성이라 차라리 낫다는 말이야. 검찰이 조국 가족에게 한 짓은 눈에 뻔히 보이는 먼지털기식 수사에다 모욕적으로 진행된 야비하고 가혹한 짓이잖아. 그래서 그렇게 비판하면서 지금 대통령이 된 자와 그 아내란 자의 온갖 뻔뻔한 범죄, 사기, 윤리적 무감각하며 열 손가락이 모자란 범죄와 하자에 대해서는 왜 말 안 해? 상필이 너 설마 지금 말한 것들이 유언비어에 불과하다고 보는 건 아니지? 그래서 난 네가 하는 비판이 심리의 왜곡에서 비롯된 것이 아닌가 생각해."

"얼씨구, 그럼 내가 모든 걸 다 비판해야 어느 하나를 비판할 수 있다는 거야?"

"아니지, 그런 균형 잡힌 상태의 비판이라면 그 정도로 막무가내로 마치 감정의 미로에 빠진 것처럼 몰아가지 않을 거라는 거야. 다시 좀 더 생각해 봐."

"너야말로 다시 좀 더 생각해 봐."

논쟁은 이 대목에서 멈추었다. 요즘 상필은 문재인 정권 말기에 창립된 평화윤리시민연대라는 곳의 사무처장으로 일하고 있다. 앞의 중국집에서 상필이 화장실 간 사이에 승훈이 슬쩍 얘기해 준 상필의 경제 사정은 좋지 않았다. 대표가 여기저기 손을 벌려 구해오는 불규칙한 지원금과 백 명도 안 되는 회원들의 회비로 운영되는 곳이라 최저 시급도 안 되는 활동비로 살고 있다고 했다. 갑자기 상필의 실존에 관한 상황이 떠오르자 나도 더 이상 논쟁을 이어가고 싶지 않았다. 입을 다무는 것이 정신적 가치를 좇아 사는 친구에 대해 나 같은 소시민이 가져야 할 최소한의 예의라고 생각했기 때문이었다. 이제 카페 안에는 바에 앉은 늙은 여자 손님 2명과 우리밖에 없었다. 내가 물었다. "이 집은 자주 오나 봐." 상필은 맥이 빠진 채 시큰둥하니 "그냥 사무실이 근처에 있어서 가끔 오는 곳이야. 술값도 싸고 이름이 좋잖아. 하이 멜랑콜리."라고 답하며 일어서자는 표정으로 엄지를 세워 문 쪽으로 가리켰다. 상필은 남아 있던 소주를 연거푸 두 잔을 따라 마시고는 일어섰다. 계단을 오르는 상필은 다리를 절면서 약간 비틀거리기도 했다.

6.
밖으로 나오니 11월의 공기가 상쾌했지만, 흐린 날씨에 꼭 비가 올 것처럼 습한 바람이 불었다. 상필은 바람이 좋다고 말하며 담배를 꺼내 물었다. 나도 담배에 불을 붙였다. "우리 그때 생각이 같았을 때는 참 좋았지, 너랑 술 마시면 술도 맛있었고"라며 상필이 쓸쓸하게 혼잣말처럼 중얼거렸다. "그러게 말이야, 우리가 어쩌다가 이렇게 됐지"라고 나도 땅을 보며 말했다. 몇 초 동안 말없이 담배를 피우다가 상필이 담배 꽁초를 바닥에 던지고는 나를 쳐다보았다. 술기운이 어린 눈동자의 초점은 또렷했다.

"아까 중국집에서 우리 방에 불쑥 들어온 남자랑 무슨 일 있었어?"

"아, 그 사람. 내가 괜한 짓을 했나 봐. 혼자 짜장면 먹는 모습이 짠해서 술김에 나도 모르게 잠시 그 사람 앞에 앉았거든 ……"

"그래서 그 사람이 너한테 뻑큐를 날리러 온 거였구나. 너, 너 말이야. 너 같은 놈들 정말 고약해. 서푼 어치 동정을 함부로 뿌리지 말란 말이야. 사람마다 상처와 고통을 느끼는 것이 다르다고! 정말 지겨워 죽겠어. 너 같은 놈들. 돈 없다고, 변변한 직장이 없어서 어떤 행동을 한다고 생각하지 말란 말이야."

이 말을 하는 상필의 목소리는 지나가던 사람들이 다 쳐다볼 정도로 커지면서 거의 악을 쓰는 듯했다. 나는 당황했지만, 갑자기 화가 치밀어 올랐다. 나도 고함지르듯 응수했다.

"뭐? 내가 도대체 뭘 했기에 그렇게 고함을 지르고 꾸짖는 거야? 사람마다 상처와 고통을 느끼는 점이 다르다는 것을 아는 놈이 조국에 대해 그렇게 말하는 거야? 나도 조국 싫어, 조국 미워. 문재인은 더 미워. 다 망쳤어. 그 민주 어쩌고 하는 놈들이 다 망쳐놨어. 그러나 그렇게 한 개인을 막 짓밟지 말란 말이야."

"누가 할 소릴 누가 하는 거야? 젊었을 때 가졌던 이상과 가치를 다 내팽개치고 처자식 거느리고 값 오를 아파트, 좋은 차, 좋은 직장만 추구했다면 입 다물란 말이야."

상필은 더 큰 소리로 내 말을 받아쳤다. 하지만 나 역시 목소리는 낮췄지만 물러서지 않고 말했다. 정확하게 옮길 수는 없지만, 순간적으로 니체가 한 말을 떠올려서 그에게 돌려주었다. 대충 이런 말을 했던 것 같다. '허영심이 강한, 허세를 부리는 사람은 자신이 타인보다 잘나 보이는 것 외에는 관심이 없다. 그저 타인의 눈에 잘나 보이기만 하면 되면 것이다. 그러기 위해서는 어떤 착각이 필요한데, 자신마저 속이고 있다는 사실을 알아차리지 못한다.' 아마 니체의 「인간적인 너무나 인간적인」에 나오는 구절일 것이다. 마지막 말은 정확하게 기억한다.

"상필이 너 이제 착각에서 좀 벗어나서 좀 평범하게 살아라, 사는 게 그게 뭐냐?"

해서는 안 될 말이었다. 상필은 나를 노려보더니 찬 바람을 일으키며 돌아서 절뚝이며 지하철역 방향으로 급히 걸어갔다. 쫓아가서 사과라도 할까 했지만 나도 흥분이 가라앉지 않은 상태였고, 왠지 그러고 싶지 않았다. 담배를 한 대 더 피우고 진경에게 전화를 걸었다. 진경은 너무나 명랑한 목소리로 기다렸다는 듯이 전화를 받았다. 진경은 4호선 전철을 타고 가는 중인데 다시 반대로 전철을 탈 수 있다고 말했다.

진경과 내가 명동역 앞에서 다시 만났을 때는 빗방울이 조금 떨어지고 있었다. 나는 아내에게 카톡 메시지로 늦거나 들어가지 못할 수도 있다는 문자 메시지를 적다가 지워 버렸다. 우리는 명동역 근처의 2층 카페에 들어가 스탠드바에 앉아 칵테일을 주문하였다. 그날 진경은 자신의 살아온 이야기를 잠깐 들려주었다. 결혼을 좀 황당한 사람과 황당한 이유로 했고, 이후 일찍 헤어졌는데 여전히 그 그늘에서 벗어난 것은 아니라고 했다. 물론 내가 물었기 때문이기도 하지만 누군가에게 말하고 싶었던 것 같았다. 또 우리는 대학 시절 같이 본 영화들 예컨대 <중경삼림>, <비정성시> 등에 대해서도 얘기를 나눴다. 우리가 같이 영화를 봤던 장소와 그날 있었던 사건들을 얘기하다가 진경이 불쑥 말했다.

"난 왜 영화에 관한 기억이 내 생활의 기억보다 앞서는지 몰라."

"실존하는 환경에 대한 불만족 때문이 아닐까?"

"글쎄, 그런 것 같기도 하고"

칵테일 한 잔이 거의 다 비워질 무렵, 노란 조명 아래의 진경은 몽롱한 이미지로 흔들리다가 파도처럼 내 앞으로 다가오기도 했다. 그때 나를 항상 감시하는 '어두운 나'가 내 옆에 앉아서 나를 노려보는 것 같아서, 그만 마셔야겠다고 생각했다. 진경이 나가자고 해서 일어서려는데 전화벨이 울렸다. 폰을 보니 아까 중국집에서 만났던 승훈의 이름이 떴다. 진경과 나는 동시에 서로를 쳐다보았고 진경이 빨리 받으라는 표정을 지었다. 난 기침으로 목을 가다듬고 통화 표시를 눌렀다.

"어, 승훈아. 잘 들어갔어?"

"너, 어디야?"

"왜? 상필이와 진경이랑 2차 하고 헤어져 가는 중이야."

"그래? 상필이 많이 취했니? 아니 상필이와 어디서 마신 거야?"

"용산에 있는 상필이가 잘 가는 술집에서 마셨고, 헤어진 건 1시간 반 정도 지난 것 같은데. 상필이가 좀 취한 것 같긴 하더라."

"후유 …."

"왜? 무슨 일이야?"

"상필이 죽었어. 건널목을 무단 횡단하다 차에 치였대."

상필이 죽었다는 말을 스피커폰으로 들은 진경은 자기 입에서 터져 나오는 비명을 간신히 손으로 틀어막았다.

"지금 상필이는 어디 있는데?"

"중앙대병원 응급실에서 영안실로 옮기는 중인가 봐. 너 상필이 가족 연락처 알아?"

"모르지 나도. 이혼한 전처도 모르고 …. 근데 병원

에서 너한테 먼저 전화했구나."

"음, 그게, 최종 통화자가 나라서 나한테 전화했나 봐. 사실 한 시간쯤 전에 상필이가 전화해서는 200만 원만 꿔달라고 했거든. 근데 내가 요즘 주식에 돈이 다 묶여서 지금 당장은 안 된다고 했어."

"그래서?"

"그랬더니 화가 나서 그러는지 쪽팔려서 그러는지, 알았다 전화한 내가 미안하다고 매몰차게 말하고는 전화를 끊더라. 그게 다야."

"후유 …. 그랬구나. 사실 나하고도 좀 다퉜거든."

"왜?"

"상필이가 자꾸 정치 얘기 꺼내 갖고 …. 아냐, 내 잘못이야. 여하튼 난 병원에 가볼게, 누군가가 가봐야 하겠지."

"그래, 안 그래도 너에게 좀 부탁하려고 했어. 나 내일 회사 끝나는 대로 빨리 갈게. 또 통화하자."

7.

여전히 가랑비가 내리는 명동 거리에는 드문드문 사람들이 오가고 있었고 빈 택시도 더러 보였다. 흰 요리사 옷을 입은 머리가 하얀 남자가 호텔 건물이 끝나는 곳의 움푹 들어간 공간에서 캔 맥주를 들고 담배를 피우고 있었다. 진경과 나는 서로 10초 정도 빤히 쳐다보는데 진경이 손을 뻗어 내 손을 잡고는 말했다.

"이런 일이 있으려고 그렇게 싸웠나 봐. 오늘 우리 다섯이 모인 것 자체부터 무슨 징조였던 것 같아."

진경의 눈에서 눈물이 눈꼬리를 타고 내렸다.

"아냐 그렇게 생각하지 마. 그냥 사고일 뿐이야. 상필이 술에 취해 무단 횡단하다 그냥 차에 치인 거야."

나는 떨리는 가슴을 진정하며 자신 없는 목소리로 말했다. 내일 장례식장에 오겠다는 진경을 먼저 보낸 후 나는 택시를 잡으려다 그냥 걸으면서 아내에게 전화했다. 상필이 교통사고가 났는데 아무도 없어서 내가 가봐야 할 것 같다고 말했다. 선잠이 들었던지 아내는 건조한 목소리로 "누구, 누구?"라고 묻더니 알았다고 말하고는 전화를 끊었다. 조금 걸으니 남대문 시장이 나왔다. 시장 입구를 지나치는데 봉고 한 대가 갑자기 내 앞을 가로막았다. 나는 멈칫하며 차안을 보는데, 창문을 내린 험상궂게 생긴 오십대로 보이는 남자가 다정하게 말했다.

"선생님 죽고 싶으세요? 씨팔"

그러고는 창을 올렸다. 잠시 멍하니 있다가 나는 다시 길을 걸었다. 고가도로로 올라서니 사람이 한 명도 보이지 않았다. 서울역 방향으로 걷는데 눈물이 막 쏟아졌다. 나는 그 자리에서 주저앉아 울면서 왜 우는지 생각해 봤는데, 죽은 상필 때문에 우는 것만은 아니었다. 사람의 상처에 대해 말했던 가출해 버린 아버지가 그리운 것은 아니었지만, 보고 싶었다. 이럴 땐 어떻게 해야 하는지 물어보고 싶었다. 용감하게 가출해 버린 아버지라면 답을 해 줄 수 있을 것 같았다. 그때 번개가 치고 천둥소리가 나면서 비가 막 쏟아졌다. 나는 서울역 방향으로 뛰었다. 빗방울이 얼굴을 때리고 내가 밟은 빗물은 다시 내 얼굴로 튀어 올랐다.

자책하는 수경

1.

최수경. 수경이를 비롯한 우리 친구들은 1978년 말띠생이다. 마흔다섯, 세상을 안다면 아는 나이이고, 노인들 기준으로는 아직 어린애라면 어린애다. 수경이는 수도권의 W 대학 교양학부 교수이다. 수경을 포함한 우리 다섯은 사회과학연구회라는 동아리에서 1학년 때 만나 지금까지 관계를 유지하고 있는데, 그중 한 명인 김승훈이 그의 남편이다. 승훈은 미국 유학에서 돌아와서 대학 강사를 하다가 여론조사 회사를 차렸는데, 경제적으로는 신통치 않은 모양이었다. 며칠 전 함께 모인 것은 삼 년만이었지만, 둘, 셋 혹은 네 명이 모이는 것은 두어 달에 한 번 정도였다. 그날 친구 중 한 명인 상필이 교통사고로 사망하여 우리는 다시 이틀 동안 같이 지내게 되었다.

사실 상필이는 우리에게 부담스러운 존재였다. 시인 황현산
이 "여러 사람이 그의 부고에 '날 괴롭힐 일은 없겠구나'하는
생각과 안쓰러움이 교차했을 것이다"라고 했던 박남철 시인보
다는 정도가 덜했지만, 음전한 우리 친구 네 명에게 상필이는
가끔 벼락이기도 했다. 나와는 말다툼했고, 승훈에게는 돈
을 꿔달라는 전화를 했던 그날 상필은 빨간불인데도 8차선
건널목을 뛰어 건너다 차에 치었다. 상필이 적록 색맹은
아니었으니 착각했을 리는 없다. 세상에 대한 절망감이야
언제나 지니고 있었겠지만, 그날의 사건들이 기폭제가 되
지 않았나 싶다. 하지만 우리는 애써 취중 판단 착오로 인
한 돌발적인 사고로 생각하려고 했다. 그러지 않고서는 이
틀 동안 서로 얼굴을 마주 보고 있을 수 없었을 것이다.
죄책감은 꼭 구체적인 것만은 아니다. 죄책감은 인간이라
면 누구나 불안과 함께 지닌 숙명적인 감정인지도 모른다.
하지만 나와 승훈은 그런 한가한 고민을 할 처지가 못 되
었다. 정치 문제로 언쟁을 벌인 나와 돈을 즉시 주겠다고
하지 못한 승훈은 마치 밧줄에 발목이 묶여 진흙탕 속으로
끌려 들어가는 기분이었다. 진경은 진경대로 언쟁이 벌어
진 카페에서 일찍 나가서 다시 나와 만난 것만으로도 죄책
감을 느끼고 있었다. 하지만 정작 가장 큰 죄책감을 느낀
것은 수경이었다. 수경은 자신의 존재 자체를 버거워하는
사람이었다.

2.

상필이 사무처장으로 있는 평화윤리시민연대에 전화를 했던
터라, 몇십 명의 사람들이 드문드문 문상을 왔다. 점심 무렵
찾아온 대표는 애석함과 난감함이 범벅이 된 얼굴로 상주 노
릇을 하는 우리와 예의 인사를 했다. 그러고서는 "윤 처장
이 그럴 사람이 아닌데, 아닌데 ……"하면서 마치 죄지은 사
람처럼 고개를 숙였다. 같이 온 예닐곱 명의 회원 중 중년
의 한 여성은 감정을 억누르지 못해 발을 동동거리며 울음
을 터트렸다. 비록 소수였지만 그들의 결속감은 단단해 보
였다. 이후 평화윤리시민연대 회원으로 짐작되는 사람들과
대학 동창 몇이 저녁 무렵 들렀을 뿐 문상객은 거의 없다
시피 했다. 문상객이 다 돌아간 아홉 시 무렵 우리는 테이
블 하나를 차지하고는 장례 관련 의논을 하고 있었는데,
그때 어떻게 연락이 되었는지 상필의 전처 복혜빈이 왔다.
검정 원피스를 입은 그녀는 절을 한 후 핏기 없는 얼굴로
입술을 깨물고는 한참을 서 있다가 돌아섰다. 결혼식장에
서 본 후 거의 첫 대면인 우리와 그녀는 서로 할 말을 찾
지 못한 채 묵례하였다. 수경이 그녀의 손을 잡으며 "차
한잔하고 가세요"라고 말하자, 그녀는 잠시 머뭇거리다 나
지막하게 "네" 하며 수경을 따라 새로운 테이블로 갔다. 우

리도 엉거주춤 그 테이블로 옮겨 마지못해 앉듯 엉덩이를 의자에 반만 걸친 채 앉았다. 승훈이 먼저 물었다.

"오셔서 다행입니다. 연락처를 몰라서 저희는 난감했거든요."

"그렇죠. 그 사람이랑 2년 정도 살다가 헤어졌으니 그러실 만도 하죠. 이 단체 회원 중의 한 명이 제 동창이에요. 걔로부터 어제 연락을 받았는데, 직장도 나가야 하고 ⋯⋯ 한참 동안 망설이다 왔어요. 참, 그 사람 외동아들인데 어머니께는 연락드렸어요?"

"아뇨. 증평에 어머니 혼자 사시는데, 장례 다 치른 후 우리가 찾아뵈려고 그래요."

이번에는 내가 대답했다. 진경이 이때 커피를 가져와서 혜빈의 어깨를 한 손으로 감싸는 친밀감을 표현하면서 앞에 놓았고, 눈물을 글썽이며 수경이 입을 열었다.

"상필이와는 그간 통 연락이 없었죠?"

"네. 그 사람 성격 아시잖아요. 아마 아예 번호 차단이 되어 있을걸요. 저도 그 후 재혼해서 아이 있는 가정을 꾸렸으니."

"네, 그럼요. 우리도 다 이해합니다. 여하튼 와주셔서, 내가 할 말인지는 모르겠지만, 참 고맙네요. 못 오셨다면 두고두고 저희는 마음이 불편했을 거예요."

"사실 남편이 차에서 기다리고 있어요. 저 역시, 제가 할 말인지는 모르겠지만, '친구분들이 장례를 맡아줘서 참 고맙습니다. 혹시라도 제가 할 일이 있으면 연락해 주세요. 먼저 일어나겠습니다."

상필의 전처 복혜빈은 명함 한 장을 수경에게 건네면서 일어섰다. 우리는 문 앞에서 묵례로 배웅했고, 혜빈이 손을 저으며 사양했지만, 수경은 한사코 그녀를 따라나섰다. 지하 3층에서 함께 엘리베이터를 탄 후 어색한 정적이 힘들었는지 혜빈이 손을 뒤집어 왼손 소매를 조금 올려 오백 원 동전 크기의 불에 덴 듯한 흉터를 보여줬다. 수경은 눈을 동그랗게 뜨고 그녀를 반사적으로 보았다.

"이거 그 사람이 뜨거운 커피를 나에게 던져서 생긴 흉터예요. 윤상필이 의처증 있는 거 모르셨죠?"

수경은 할 말을 잃은 채 아, 하며 신음을 했다.

"그 착하고 정의로운 사람이 어떤 결핍과 애착 때문에 나에게 폭언과 폭력을 행사했어요. 결혼한 지 두어 달 후부터요. 이후 저는 심리상담 공부를 하게 되고 덕택에 전문직 여성이 되었네요. 고마워해야 하는 건지, 참, 그래요."

그때 엘리베이터가 로비에 도착하여 문이 열렸고, 수경은 로비 입구까지 따라가서 인사를 한 후 그녀가 준 명함을 들여다보았다. '혜빈 심리상담연구소 소장 심리학 박사 복혜빈'이라고 쓰여 있었다.

3.

다시 돌아온 수경은 평소와는 달리 소주를 자신의 종이컵에
반쯤 따르고는 우리에게도 권했다. 나머지 종이컵들이 수경이
거칠게 따르는 소주로 채워지는 것을 보면서 아무도 말이 없
었다. 수경이 잔을 들어 반쯤 마시고는 인상을 쓰며 내려놓는
것을 본 우리는 잔을 입에 갖다 대고는 금세 내려놓았다. "잘
갔어?" 진경이 묻자, 수경이 "응, 현관까지 배웅했어. 우리 뭘
잘못했어? 아깐 안 그랬는데 왜 이렇게 기분이 거지 같지?"
그러면서 다시 잔을 잡자, 승훈이 그 잔을 붙들고는 말렸다.

"그만 마셔. 집에 안 갈거야?"

"응, 오늘은 자기가 가. 애들 좀 챙겨서 학교 보내고.
발인이 아침 6시니 난 여기서 잘게."

"그래도 그만 마셔라"

"왜? 살찔까 봐 그래? 그만 좀 하시지."

진경과 나는 약간 긴장한 채 수경의 표정을 보기만 했다.
수경은 키도 크지만, 기본적으로 체격이 좋은 편이었는데, 사
십 대로 접어들면서 살이 좀 붙자 무게보다 비대해 보이는
것은 사실이었다. 그렇다고 비만형은 아니었는데, 상대적으로
날씬한 근육질의 김승훈은 자주 잔소리를 했다. 외모에 대해
배우자가 지적하는 것은 성적 대상으로서의 매력이 없어졌거

나 흥미를 잃어가고 있다는 것을 의미한다. 혹은 비교할 다른 대상이 생겼거나 생길 수 있음을 암시한다. 승훈이 답답하고 민망한 표정을 지으며 떠난 후 수경이 입을 열었다.

"사람 앞에서 외모에 대해 말하는 이유가 뭘까? 특히 배우자나 연인에게 ⋯."

"그 사람을 위하는 마음이지, 뭐 다른 뜻이겠어?"

"진경이 너는 원래 착한 애지만 그래도 직접 자주 들으면 기분이 어떻겠어?"

"그거야 어떤 상황에서 어떻게 말하느냐에 따라 다르겠지."

"그래 그 말도 반쯤은 맞아. 근데 말이야. 승훈이가 나에게 그러는 거, 나에 대한 일종의 지배욕, 열등감 아니면 성적 대상으로서의 호기심 상실, 그중 하나 혹은 둘 혹은 전부 아니겠어?"

나는 말없이 멀뚱멀뚱한 눈으로 잔을 보며 손으로 굴렸고, 진경이는 무슨 말을 할지 몰라 당황한 기색이 역력했다. 그런데 다음 말에 진경은 얼굴을 붉히고야 말았다.

"내가 애 둘 낳고 나서 십몇 년 동안 잠자리한 횟수가 열 손가락으로 꼽을 정도인데, 더 놀라운 건 말이야. 그게 거의 오럴로만 했다는 거야."

"애, 그런 얘길 막 하면 어떡해?"

진경이 인상을 찌푸리며 손을 저으며 말했다.

"왜? 하면 안 돼? 승훈이 쟤 이상해, 아니 우리가 어쩌다가 이렇게 됐는지 모르겠어. 사실 우리 이십 년 넘게 만나고 있지만, 서로를 너무 모르는 것 같아."

"세월이 흐르면서 사람은 변하는 거니까, 계기가 생기지 않아 미주알고주알 말은 하지 않지만 그렇다고 우리가 딱히 모를 것은 없잖아."

"진경이 너 상필에 관해 얼마나 안다고 생각해? 비택이 너는 승훈이를 얼마나 안다고 생각해? 물론 나도 너희들을 잘 몰라. 근데 내가 왜 이런 얘길 자꾸 하고 있지? 내가 하고 싶은 말은 섹스리스라면 차라리 낫지 오럴만을 요구하는 남자랑 남은 인생을 함께해야 하느냐는 거야."

나는 좀 더 수경이 얘기를 들어야 한다고 생각하면서도 일단 한 박자 끊어야 한다는 생각에 말을 돌렸다.

"상필이 전처, 복혜빈 씨 말이야. 무슨 일 한대? 아까 명함 받았잖아."

"응. 심리상담소 운영하는 모양이던데."

"그거 박사 따야 하는 거 아냐?"

"맞아. 그래야 할걸. 근데 말이야. 저 사람이 어쩌다 저 직업을 갖게 됐냐 하면, 상필이가 의처증이 있었대. 그래서 이혼했고, 이후 그 공부를 했나 봐. 자기 입으로 그러던데. 덕분에 전문직 여성이 되었다고. 사람 일이라는 게

참 우습지 않아?"

진경이 입을 막으며 되물었다.

"뭐! 의처증? 세상에."

"잘 모르는 분야이긴 하지만, 상필이의 의처증이 선천적인지 아니면 워낙 결벽증이 있는 친구라서 조그만 이유가 비화하였는지 알 수 없지만, 나도 그 원인 중의 하나일지 몰라."

수경이 자신도 원인 중의 하나일지 모른다는 말에 나는 어렴풋한 기억을 헤집으며 말했다.

"옛날에 강이 보이는 양수리 민박집에 엠티 갔을 때 상필이랑 수경이 너 사이에 뭔가가 있다는 생각을 한 적이 있는데, 무슨 일이 있었던 거야?"

"응. 2학년 때 서로 좋아했지. 그런데 정식으로 상필이가 사귀자고 했을 때 내가 거절했거든. 사귀면 내 인생이 왠지 복잡해질 것 같았거든. 그러고 상필이는 3학년 무렵 군대에 갔고, 4학년 때 나와 승훈이가 같이 유학 계획을 세웠지. 상필이는 그게 큰 상처였나 봐. 가끔 술에 취하면 이해할 수 없는 문자를 보내고 그랬어."

"그거야 뭐 흔한 일 아냐? 괜히 부담가질 필요는 없어."

진경이 수경을 다독였다. 수경이 폰을 꺼내서 메시지에 빠르게 응답을 한 후 소리 나게 내려놓았다. 그녀는 우리와 잠깐 눈을 마주치더니 물을 한잔 마시고는 어색하게 웃으며 "모든 게 내 잘못인가 봐."하며 말을 시작했다. 수경의 말이 만든 공간은 어둡고 축축했지만 보이지 않는 명징한 빛이 들어있었다. 처절할 정도로 자신을 부수는 충돌이 빚는 빛이었다.

4.
수경은 자신이 했던 부정적인 일들을 죄, 뻔뻔한 실수, 멍청한 짓, 돌이킬 수 없는 망나니짓 등으로 표현했다. 가장 먼저 털어놓은 일은, 유학가기 전 경찰서 정보과 형사에게 윤상필에 대해 말했던 부분이다. 3학년 첫 학기 어느 날 수경은 학과 조교의 연락을 받고 지도 교수 연구실에 갔다. 연구실에 들어서자 지도 교수는 눈을 껌뻑하며 검은 양복을 입은 두 명의 남자를 소개했다. 한 명은 짧은 헤어스타일이었고, 다른 한 명은 얼굴에 옅은 흉터가 있었다. 경찰서에서 나온 분인데 잠깐 협조하라고 말하면서 교수는 연구실을 나갔다. 짧게 인사를 나눈 후 그들 중 한 명이 여러 명이 찍은 사진을 내놓고는 한 명을 가리키며 누군지 아느냐고 물었다. 수경은 머뭇거리다 상필이라고 말했다. 그들은 상필이가 오랫동안 안 보인 적이 없었는지, 교내 시위에 적극 참여했는지 등에 관해 물었다. 수경은 상필이가 2학년을 마친 후 입대를 앞두고 고향인 증평에 내려갔기 때문에 잘 모른다고 답하면서 이 말의 신뢰를 높이기 위해서 교내 시위에는 적극적으로 참여한 것 같았다고 말했다. 짧은 머리 형사는 단체로 찍은 사진의 가운데 인물을 가리키며 "이 사람이 전북 C 대학의 교수인데 북한 대남공작원에게 포섭돼 90년대 초 노동당에 입당한 뒤 공작금을 받고 각종 기밀을 북한에 보고한 고정간첩"이라고 겁을 주었다. 흉터가 있는 경찰은 이 사람이 최근 잡혔다고 말하면서 솔직하게 상필에 대해 말하라고 다그쳤다. 수경은 상필과는 학과 친구일 뿐 별로 친하지 않다는 식으로 말했다. 2000년에 고정간첩으로 보도된 그 교수는 사실 중학교 은사인 조총련 간부를 만났고, 자택에 이적표현물을 소지한 죄 아닌 죄밖에 없었다. 그는 항소심에서 집행유예 2년으로 석방됐다.

이후 상필을 비롯한 우리는 이 이야기를 한 적은 없었다. 수경은 자신이 '잘못한 것은 없다고 생각했지만, 두고두고 마음에 남은 죄'라고 표현했다. 상필이가 어쩌다 술에 취해 뜬금없이 "늬들은 그렇게 떳떳하냐?"는 식의 문자 메시지를 보내면 간이 철렁 내려앉았다고 했다. 사실 상필은 군 정보기관의 조사를 받았다. 하루 정도 조사를 받으면서, 누군지는 모르지만 아주 가까운 사람들이 자신에게 불리한 증언을 했다는 느낌을 받았다. 하지만 공안 사건들에 들어있는 고문과 협박에 의한 고변과 그로 인한 인간관계의 파탄 스토리를 익히 들었던 상필은 친구들을 이해하고자 했다. 오히려 문제는 수경이었다. 수경은 고문을 받은 것도 아니었고, 큰 고자질을 한것도 아니었다. 하지만 쉽사리 사진 속의 인물을 상필이라고 말하는 동시에 변호 대신 운동권 인물로 판단할 수 있는 발언을 한 것은 죄책감으로 남았다. 처음에는 형사들로부터 한시바삐 벗어나고 싶어서 그랬다고 자위했지만, 시간이 지날수록 유학 가는 데 지장이 있을까 봐 더 순순히 굴었다고 자책했다.

미국 유학 생활 동안 수경은 이와 관련된 꿈을 꾸곤 했다. 당시의 상황이 여러 변형을 거쳐 악몽으로 이어졌고, 잠에서 깨면 치욕감이 들었다. 학위 논문을 쓸 무렵에는 논문 작성 스트레스의 강도만큼 그때 일이 점점 더 떠올랐다. 한국에 돌아와서 교수가 된 뒤로는 비난받지 않아야 한다는 생각에 완벽주의자처럼 되어 버렸고, 조그만 실수에도 자책에 자책을 거듭했다. 상필 혹은 과거 운동권 친구를 만나면 조그만 농담에도 얼굴이 달아올랐다. 문상하러 갔다가 만난, 시골로 귀농한 옛 동기가 덕담처럼 "교수 되니 훨씬 보기 좋아졌다."라는 말을 들은 날 밤에는 붉은 반점이 나타나고 온몸이 가려웠다. 꼭 그런 날이면 수경의 남편인 승훈은 재테크 관련 말을 했고, 잠자리를 시도하곤 했다. 유학 가기 전 168센티미터의 키에 55킬로그램이었던 수경의 체중은 유학 시절에는 60킬로그램으로 늘었다. 교수가 된 이후로 스트레스를 받으면 많이 먹게 되었는데 이제는 누가 보더라도 살찐 여자로 보였다. 스트레스로 뭔가를 먹으면서도 "내가 이걸 먹어도 되나"라고 생각했고 즐거운 일이 생겨도 몰입하여 즐길 수 없었다.

이야기하는 수경의 얼굴은 붉어지다가 몇 군데 흰 반점이 나타났다. 그러고는 겨드랑이 근처를 긁었다. 진경과 나는 무슨 말도 할 수 없었다. 대단한 일도 아닌데 수경에게는 대단해져 버린 일에 대해 토를 달 수가 없었다. 여덟 시가 넘자, 문상객은 다 온 듯했다. 진경은 장례식장 사무실에 처리할 일이 있다면서 자리에서 일어나서 나갔다. 내가 말했다.

"수경아. 그때 나라도 그랬을 거야. 이제 잊어버려."

"잊고 싶다고 잊을 수 있다면 얼마나 좋겠어? 내 얘기를 너무 많이 했지? 비택아 넌 어떠니 요즘?"

"나야 막 회사 옮겼으니 몇 년은 더 그러다가 더 작은 회사로 갈 테고. 모르겠어. 난 너처럼 삶과 인간관계에 대해 그렇게 깊이 생각하지도 않고, 안 좋을 땐 얼른 다음 일을 생각하며 도망가는 체질이니 별로 할 얘기가 없어. 근데 상필이랑 연애를 하긴 한 거야?"

"글쎄, 워낙 어릴 때 일이라 연애라고 할 것도 없지만 그래도 걘 스무 살 이후 평생을 따라다닌 짐이자 경종이었던 것 같아."

"짐이자 경종?"

"부담스러운 존재인 동시에 똑바로 살아가도록 항상 자

극하는, 그런 존재 말이야."

"그 정도였어?"

내가 짐짓 놀라며 묻자, 수경은 씁쓸한 웃음을 띠며 고개를 끄덕였다. 그때 진경이 사무실에서 받아온 서류를 들여다보며 앉았다. 우리는 같이 서류를 보며 장례식장에 치러야 할 비용에 대해 잠깐 얘기를 나누었고, 진경이 계산을 맡기로 정했다. 정리할 것도 없는 식장이라 우리는 불을 끄고 장례식장을 나섰다. 중앙대병원 앞 도로로 내려오다 골목을 들여다보니 고깃집, 맥줏집 등이 올망졸망 있었고 손님들은 별로 없었다. 우리는 맨 끝에 있는 제주집이라는 간판을 내건 아주 오래된 술집으로 들어갔다. 발로 채워진 어깨높이의 가림막이 테이블 사이에 놓인 가게에는 손님이 없었다. 50대 후반으로 보이는 여주인은 빠르게 우리를 아래위로 훑어보고는 짐짓 웃으며 안쪽 자리를 권했다. 병원을 다녀온 사람들의 이야기는 항상 흥미로우니까 아마 우리 얘기를 듣고 싶었을 것이다. 내가 앉으며 혼잣말로 "이야기 좋아하면 가난하게 산다던데." 하자, 여주인은 "네?" 하며 되물었고 나는 못 들은 척했다.

낙지볶음과 술이 나오자 모두 입안이 까칠해진 터라 의례적인 건배 후 술을 털어 넣었다. 진경이 물었다.

"아까 부담스럽고, 경종이었다고 말하던데 무슨 얘기야?"

"상필이라는 존재 자체가 항상 나를 주눅 들게 했다는

말이야"

"각자의 삶은 다르고 선택 또한 각자의 몫이니 그런 마음 가질 것까지는 없잖아?"

진경이 위로인지 충고인지 모를 말을 했다. 수경은 진경을 빤히 쳐다보며 신기한 듯한 표정으로 되물었다.

"넌 상필을 만나거나 떠올리면 그런 생각이 전혀 들지 않아?"

"안쓰러워 보일 때도 있지만 오히려 그런 감정을 갖는 내가 교만한지도 모르겠다는 생각도 들어."

뭔가 흥미로운 병원 얘기나 망자에 관한 이야기를 기대하고 귀를 쫑긋 세웠던 여주인은 한심한 눈으로 우리를 힐끗 보고는 카운터에서 일어나 부엌으로 가서 설거지를 시작했다. 이후 술 두 병을 비우는 동안 여주인은 연예인들이 잡담하는 방송이 나오는 텔레비전 모니터를 멍하니 보고 있었다. 나는 두 번째 담배를 피우러 나가서 아내와 통화를 했다. 아내는 건조한 목소리로 아들 찬호가 수학 경시대회에서 1등을 했다고 말했다. 그러고는 찬호가 수능을 보고 나면 천안으로 내려가서 처형이 하는 주얼리샵에서 일하고 싶다고 했다. K 외고 기숙사에서 생활하는 찬호는 별로 손이 가지 않는 아이였다. 뭐든지 알아서 했고 아마 수시 전형에서 원하는 대학에 들어갈 것 같았다. 천안이 고향인 아내는 지난달 유방암으로 죽은 친구의 장례식장에 갔다가 사흘 동안 있다가 왔는데, 그때 아마 처형과 얘기가 되었던 모양이다. 죽은 아내의 친구와 오래 전에 이혼한 전 남편 그리고 아내는 고교 동창생이었다.

5.

담배를 끄고 안으로 들어가자, 수경과 진경은 머리를 맞대다시피 하고는 얘기를 하고 있었다.

"좀 그렇긴 하지만 그게 뭐 대단하다고 여태 마음에 담고 있는 거야?"

진경이 답답한 표정으로 묻고 있었다. 얘기를 들어보니, 수경의 예의 그 죄책감 혹은 자아비판에 관한 것인데, 구체적으로는 상필의 은행 대출에 얽힌 것이었다. 수경이 상필의 대출 보증을 선 후 몇 달이 지나서 은행으로부터 이자가 들어오지 않는다는 연락이 왔다. 그로부터 며칠 후 수경은 상필을 만났는데 그는 사회운동단체에서 일하는 후배 한 명도 데리고 나왔다. 후배가 자리를 비운 사이 수경이 이자 연체 연락이 왔다고 말하자 상필은 낯을 붉히며 곧 해결하겠다고 했다. 후배가 돌아왔기에 그 얘기는 더 이상 이어지지 않았는데, 그날 수경은 7만 원에 가까운 술값 계산을 상필에게 떠넘겼다고 한다. 평소 같으면 수경이 당연히 계산했겠지만, 그날은 하지 않은 것이다. 이후 2차로 간 맥줏집에서도 수경은 계산하지 않고 그냥 나왔고 상필의 후배가 계산하였다. 은행에서 이자 납부 독촉받은 것도 화가 났지만, 상필의 대책 없는 힘겨운

생활에 더욱 화가 났다고 했다. 이 일은 두고두고 수경을 괴롭혔다. 심지어 상필이 죽자 그 일은 더욱 회한으로 남았고, 자신을 책망하는 날카로운 칼이 되었다.

12시 무렵 우리는 근처 편의점 앞 야외 테이블로 자리를 옮겼다. 내가 맥주와 안주를 사서 나오니 수경은 담배를 피우고 있었고 진경은 그런 수경을 어색하게 바라보고 있었다.

"어, 수경이 너 담배 피우니? 너 담배 피우는 거 처음 본다."

"가끔 몇 년에 한 번 정도. 걔 때문에 피우기 시작한 후로 이렇게 피게 되네."

진경이 물었다.

"누구? 승훈이?"

"아니, 잠깐 나와 바람피운 놈."

나와 진경은 서로를 쳐다보고는 다시 수경에게 눈을 돌렸다. 수경은 눈을 내리깔고 겸연쩍게 웃으며 담뱃재를 털고는 말을 이어갔다.

"이런 세상에 교수로서 살아간다는 것이 참 그래. 학생들에게 옛날 교수들처럼 막 애정을 표현할 수도 없거든. 학생들이 부담스러워할뿐더러 잘 먹히지도 않아. 싹수가 있는 특정 학생을 편애하면 모든 학생이 적으로 변해. 너희들은 이해할 수 없겠지만 이제 대학도 무서운 세상이야. 같이 점심 먹을 동료도 없어. 적당히 단체 모임에 참

석하고, 적당히 수업하고, 모든 걸 적당히 해야 해. 그렇다고 그만둘 수도 없고. 그냥 내 학문에만 매진하자고 생각도 해보지만 그렇게 목숨을 걸만한 학문도 아니고. 내가 명사가 될 수도 없겠지만 그런 건 체질에도 안 맞고. 그냥 월급쟁이야. 이런 내가 너무 부끄러워. 그런데 가끔 교수들 시국선언 할 때 있잖아. 우리 학교가 워낙 보수적이라 스무 명 남짓밖에 안 하거든. 이명박 시절인데 교수된 지도 얼마 안 된 터라 눈치 보느라 못했어. 그때 가끔 내 연구실에 드나들던 강사가 있었거든. 석사 시절 유학생 모임에서 가끔 봤던 앤데, 걔가 그러는 거야. '선생님 이 학교에서는 서명하는 게 힘든가 봐요.' 그날 걔랑 술을 마시는데 아픈 곳을 너무 찌르는 거야. 그래서 싸우고 화해하고 하다가 술로 엉망이 되었고 그날 걔랑 잤어. 그리고 몇 번을 더 만났어."

진경이 놀란 눈으로 물었다.

"정말? 수경이 네가?"

"응, 내가 그랬어. 놀랍지? 나도 놀라워."

"연애를 한 거야?"

"그게 말이야, 몇 번 만나다 보니 연애하는 기분이 들더라고. 살아가는 고통 가운데 그런대로 견딜만한 감미로운 구석이 생긴 거 같기도 하고. 그런데 그 학기에 걔가 자기 모교로 전임 임용이 되면서 끊어졌어. 피하는 눈치가 보이길래 나도 잘됐다 하면서 연락을 끊었고."

이번에는 내가 물었다.

"승훈이도 알아?"

"들키지는 않았는데, 아까 말했잖아. 승훈이가 오럴 섹스만 요구한다고. 그걸 거부하지 않고 받아내는 건 아마 내가 바람피운 거 때문일 거야."

진경이 침울한 표정으로 수경의 어깨를 다독이며 이상한 톤으로 말했다.

"수경아, 그러지 마. 누구나 그럴 수 있어. 승훈이라고 그런 일 없었겠어? 다 샘샘이야. 다 지나간 일이야."

"너 승훈이에 대해 내가 모르는 뭔가를 알고 있는 거야?"

"아니, 전혀. 내가 승훈이 사생활을 어떻게 알아?"

진경은 이상할 정도로 정색하곤, 손을 저으며 부인하였다. 진경이 이제 장례식장에 가서 눈을 좀 붙이자고 했지만, 수경은 이를 무시하였다. 우리는 다시 술을 사서는 소주와 맥주를 섞어 마셨고, 술에 취한 수경의 자책은 새벽까지 이어졌다. 평소 각별하게 보살피던 중국인 학생이 새로 나온 아이패드 2를 사자, 그 학생이 쓰던 아이패드 1을 샀던 것을 지금 후회한다고 했다. 어쩌면 걔가 그것을 수집하고 있었는데 교수의 사고 싶다는 말에 팔았을저 모른다는 것이었다. 지금이라도 만날 수 있으면 그 아이패드 1을 돌려주고 싶다고 했다. 또 대학원에 진학해서 공부하고 싶다는 사회운동을 하는 후배가 있었는데, 매번 만나 밥까지 사주며 격려했는데 이후 아무런 소식이 없기를 세 번이나 반복하자, 고함을 지르며 야단친 것도 자책했다.

"걔는 걔대로 사연이 있었을 텐데, 왜 그렇게 모질게 했는지, 나는 뭐 얼마나 제대로 잘 산다고 남을 그렇게 야단쳤는지, 내 발등을 찍고 싶다."

수경의 자책은 끝이 없었다. 목욕탕에 가서 누군가가 두고 간 로션을 바른 것도 토로했고, 대학 시절 형편이 어려운 줄 뻔히 알면서도 상필이를 비롯한 남학생들에게 술값을 내게 한 것도 후회했다. 후회와 자책을 쉼 없이 하던 수경은 겨드랑이를 긁으면서 "나야말로 쓰레기"라고 했을 때, 계속 듣고 있어서는 안 되겠다 싶어 화제를 돌리기 위해 내가 물었다.

"그때 만난 그 후배 강사 말이야. 학회나 이런 데서 가끔 부딪히진 않아?"

"당연히 부딪히지. 그런데 요즘 나 학회 이런 데 안 나가. 다 꼴 보기 싫어. 현실에 무력한 교수들끼리 세상 문제에 대해 말해봤자 무슨 소용 있나 싶기도 하고. 학회 회장 자리 그것도 권력이라고 서로 차지하겠다고 설치는 몇몇 인간들 꼴 보기도 싫고. 그런데 말이야. 아까 말했던 그 친구 지금 뭐 하는 줄 알아?"

"교수한다면서."

"그렇지 당연히 교수하지. 동시에 국민의 힘 정책위원으로 활동하면서 자주 티브이 나오기도 해, 물론 빨간당 패널로.".

진경과 나는 동시에 아, 하며 신음을 냈다. 잠시 우리 사이에 침묵이 흘렀다. 그 침묵을 견디지 못한 진경이 시선을 허공에 둔 채 혼잣말처럼 말했다.

"수경아, 어떤 영화에서 봤는데, 죄책감이란 벽돌을 가득 넣은 자루 같은 거래. 그러니 그냥 내려놓으면 되는 거래."

그 말을 들은 수경은 조롱 섞인 웃음을 띠면서 아무것도 보이지 않는 하늘을 올려다보며 되뇌었다.

"벽돌을 가득 넣은 자루를 그냥 내려놓기만 하면 되는 거였구나. 그러면 죽은 상필이조차 그냥 자루처럼 내려놓으면 되고, 다 지나간 일들이니까 그냥 내려놓고 새로운 문을 열어서 가면 되는 거구나."

아무도 이젠 말하지 않았다. 내가 주섬주섬 캔과 병 그리고 안주 포장지들을 치우며 일어설 동안 수경과 진경은 어느새 서로 손을 잡고 앞만 바라보고 있었다.

6.
저 멀리 누런 삼베옷을 입고 머리에 새끼줄을 두른 한 무리가 울부짖으며 곡하는 것을 멍하니 보고 있을 때 상필의 화장 차례가 되었다. 상필의 사체를 담은 관이 불 속으로 들어갈 때 수경과 진경의 뒤에 있던 나는 둘의 손을 꼭 잡고는 눈을 질끈 감았다. 눈물이 눈썹 밖으로 나오지는 않았지만 뜨거운 무엇인가가 목구멍을 타고 내려갔다. 복숭아씨처럼 거칠거칠한 겉모양에 뜨거운 열이 가해진 것 같은 것이었다. 승훈은 출근하느라 오지 못해서 우리 셋이 전부였다. 화장장에 딸린 식당에서 우리는 오랜만에 밥을 먹었다. 시래기 된장국은 미지근했고, 부친 두부는 차가웠으며, 김치는 제멋대로 엉켜 있었다. 밤을 새웠지만 술을 그렇게 많이 마신 것은 아니었는데, 수경의 젓가락질은 자주 빗나갔다. 수경은 밥을 꾸역꾸역 억지로 밀어 넣다가 꿀꺽 삼키고는 눈물이 그렁그렁한 눈으로 우리를 보면서 말했다.

"생각해 보니 상필이가 부담이자 경종이 아니라, 내 사랑이었던 것 같아."

진경이 바로 응답했다.

"아닐 거야. 지금 너무 슬퍼서 그런 기분이 드는 걸 거야."

수경은 고개를 젓다가 푹 숙이고는 중얼거리듯 말을 이었다.

"연애라 할 것도 없는 어릴 때 연애였지만 문제는 그 이후였어. 승훈이랑 부부 사이가 소원해지고 내가 극도의 죄책감에 시달릴 때 내 옆에는 그래도 상필이가 있었던

거야. 그 위악적 태도가 꼴 보기 싫어 다투다가 실컷 욕
먹은 것만으로도 뭔가 풀리곤 했거든.”

“상필이와 다툰 게 그런 효과가 있었던 거야? 여하튼
다행이다.”

내 말에 수경은 고개를 들고 머리칼을 두 손으로 정돈하면
서 힐난하는 듯하기도 하고 비웃는 것 같기도 한 묘한 표정
을 지으며 다시 입을 열었다.

“나 사실 있잖아. 상필이랑 그렇게 한바탕하고 나면 꼭
얼마 후에 주변의 누군가와 섹스했다. 승훈이와 싸울 때
는 전혀 그렇지 않았는데, 웃기지?”

“무슨 소릴 하는 거야? 소설 쓰지 마.”

진경이 다독이듯 말했다.

“아냐 진짜야. 그래봤자 몇 번 되지는 않지만 그래도
말이 통하고 나처럼 갑갑한 인간들을 꼭 그럴 때 우연히
만나게 된단 말이야.”

“정말이야? 수경이 네가?”

“응, 진짜. 그런 일을 겪으면 그나마 마음이 편해져. 윤
리적 죄책감을 포함한 온갖 죄책감으로 범벅이 되면 오히
려 마음이 한동안 편해져. 내가 쓰레기라는 것을 인정하
고 나면 한없이 낮아져서 편해지는 것 있잖아. 뭐든 불평
불만 없이 받아들이고 순순히 살아가는 거 말이야.”

“불교에서 말하는 하심(下心)이나 천주교의 순명(順命)

같은 건가?"

　내가 아는 척하며 끼어들자, 수경은 고개를 끄덕이며 동의했다. 그때 승훈으로부터 전화가 왔다.

　"어, 승훈아. 지금 화장 들어갔고 기다리고 있어."

　"그래, 다들 고생이다. 별일 없지, 수경이도 같이 있지?"

　"지금 옆에 있어. 바꿔줘?"

　수경은 전화 받기 싫다는 표정으로 손을 저었다.

　"아냐 아냐. 카톡 답이 없어서. 그럼, 일단 오늘은 들어가서 쉬고 조만간 보자."

　"그래야겠지. 그래, 그러자."

　나는 영구차 기사가 대각선으로 보이는 맨 앞자리에 앉았고, 하얀 뼛가루로 변한 상필을 내 옆자리에 앉혔다. 오랜만에 폰을 보니 문자와 카톡 메시지가 수없이 와있었지만 나는 열어보지 않았다. 내 뒤에 진경이 앉고 건너편 자리에 수경이 앉았다. 포장이 매끄럽지 않은 길을 지날 때 영구차는 심하게 흔들렸고, 우리 셋은 황망한 표정으로 앞만 바라보며 그 흔들림에 저항하지 않고 몸을 맡겼다. 아마 모두가 몸만 맡긴 것이 아니라 마음조차 어딘가에 맡긴 듯했다. 잠시 후 앞만 바라보던 수경이 갑자기 겨드랑이를 긁으며 말을 걸었다.

　"상필이가 조국에 대해 말하는 거 들은 적 있어?"

　"응. 그날 나하고도 그걸로 다퉜어."

"근데 지금 생각하면 상필이가 조국을 질투하거나 그 인간이 미워서 그렇게 비판했던 건 아닌 것 같아."

"그럼 뭐라고 생각해?"

"글쎄, 우리가 모르는 자신만의 죄책감이 투영된 거 아닐까 싶어. 자기 그림자에게 욕을 해댄 건지도 몰라. 모든 가정에는 하나 이상의 문제가 있고, 모든 인간은 평균 일곱 개 이상의 비밀이 있다는 학술 통계가 있거든. 상필이도 그런 게 있었겠지. 물론 니들도 있을 테고. 차이가 있다면 상필이는 위악적으로 행동했고, 난 위선적으로 행동했고, 니들은 여전히 숨기고 있는 거겠지."

수경의 말에 진경과 나는 대꾸하지 않고는 앞만 바라보았다. 지방도를 지나 국도로 접어들자말자 교통신호에 걸려 차는 멈추었다. 버스 기사가 카 오디오 기계를 만지자 목탁 소리 배음의 반야심경이 흘러나왔다.

관자재보살 행심반야바라밀다시 조견오온개공 도일체고액 사리자 색불이공 공불이색 색즉시공 공즉시색 수상행식 역부여시 사리자 시제법공상 불생불멸

모두가 좀 놀란 표정으로 반야심경을 듣다가 '불생불멸' 부분에서 내가 고개를 돌려 둘과 눈을 맞추었다. 우리 모두의 눈에는 눈물이 그렁그렁했다. 그러다 몇 초 후 우리는 약속이

나 한 듯 웃음을 터트렸다. 그때 신호가 바뀌면서 버스는 다시 달리기 시작했고, 아침 해가 쨍쨍한 가운데 가을 나뭇잎들은 주황색을 띠며 빛났다.

비밀에 붙들린 승훈

1.

상필의 장례를 치른 지 두어 달 후였다. 승훈으로부터 오늘
저녁 시간이 나는지 물어보는 메시지가 왔다. 이제 다섯에서
네 명으로 줄어든 우리는 약속이나 한 듯 서로 연락하지 않
았다. 진경과 나조차 서로 연락이 없었다. 승훈의 메시지를 받
은 날은, 일본에서 샘플로 수입한 베어링에 대한 기술 검토가
있어서 급히 회의를 끝내고는 부랴부랴 서둘렀다. 급히 나가
는데 비서 역할도 겸하는 여직원 주설영이 엘리베이터 앞까지
쫓아와서는 폰과 코트를 전해 주었다. "어, 어, 고마워."하며
건물 입구로 나가 택시를 잡았다. 승훈이 알려준 조계사 근처
식당에 도착하니, 그는 소주잔을 입에서 떼며 손을 가볍게 들
었다. 수육은 좀 식어 보였고, 이미 소주병은 반쯤 비어있었

다. 앉자마자 대뜸 승훈이 가수 김정호를 아느냐고 물으면서
답도 기다리지 않고 말을 이었다.

"이 집이 그 김정호가 옛날에 살았던 집이래."

서울의 전형적인 ㄴ 형태의 기와집인데 마당 위를 지붕
으로 덮었고 주요 기둥은 살리고 다른 곳은 전부 나무로
치장하면서 손을 본 듯했다.

"뭐야, 먼저 이렇게 마시기 있어?"

"새로 또 시키면 되지 뭐, 까탈스럽기는."

"잘 지냈어? 잘 못 지낸 거 같은데."

"잘 지내고 못 지내는 게 어딨어? 그냥 하루하루 지나
가는 거지."

승훈은 내 눈을 보면서 잔에 술을 따르느라 술잔에 술이
넘쳤다. "왜 이래, 이 친구."하며 나는 급히 잔을 입에 갖다
댔다. 승훈은 고개까지 저으며 그런 거 없다고 말했다. 그
냥 오늘 심심하고 본 지도 꽤 된 거 같아서 연락했을 뿐이
라고 했다. 우리는 상필의 장례식에 왔던 상필의 전처에
대한 얘기 등 두서없이 상필 장례식 얘기를 하다가 다시
술을 시켰다. 하지만 우리는 정작 상필에 대해서는 말하지
않았다. 특히 상필이 죽기 직전 승훈에게 돈 얘기를 꺼낸
것과 내가 상필과 다퉜다는 말은 꺼내지 않았다. 아직도
누런 삼베옷 입고 두건 쓰고 장례 치르는 사람들이 있다고
말했고, 그날 괜히 장례 버스를 전세했다는 말도 했다. 상

필의 뼈를 묻은 상필의 고향 증평에 있는 수목장 위치와 비용에 대해서도 건조하게 말을 나누었다. 우리가 그렇게 뭔가 빙빙 돌며 대화를 나누고 있다는 것을 깨달으면 깨달을수록 나는 수경이가 장례식 전날 보여준 이상한 행동과 자아비판에 가까운 고백에 대해서는 절대 말하지 않겠다고 다짐했다. 우리는, 아니 승훈은 약간 우울한 내용이긴 하지만 그 특유의 결론을 내지 않는 이상한 얘기를 간간이 웃음을 섞으면서 얘기했다. 두 번째 소주병이 반 이상 비었을 때였다.

"비택아."

"응, 왜?"

"너 지금 여기 온 후로 한 번도 웃지 않은 거 알아? 좀 웃어라 웃어."

"그런가? 요즘 웃을 일이 있나? 미친놈 아니고서야."

"야! 세상에 얼마나 웃을 일이 많은데. 난 오늘도 고등학생 우리 애들 학교 가는 거 보고 오전 내내 기분이 좋더라."

"그래? 그거참 불행 중 다행이다."

"또, 또, 또 …… 불행은 무슨 불행, 야, 강비택. 너, 잘 들어. 너 심각한 사람들 SNS 자주 보지?"

"글쎄, 진지한 사람들 글도 보고 몰랐던 정보도 얻고 하는데, 그렇게 많이 자주 보는 거 같지는 않은데."

"하여간 그런 사람들 SNS 보지 마. 그런 것들 보면 세상이 다 망한 거처럼 느껴져. 바로 오늘 밤에 무슨 큰일이 나고, 내일이면 세상이 망할 것처럼 느껴지니까 말이야."

" .... "

"그리고 말이야. 다 각자 기준으로 상대편 정치인들을 씹는데, 물론 씹을 만하지. 하지만 그런다고 바뀌는 건 하나도 없어. 그냥 배설이야. 나 이 정도로 비판할 줄 아는 잘난 놈이다, 그거뿐이야. 인류 역사상 지배와 피지배가 없었던 적이 없잖아. 물론 옛날 중국에서는 정적을 죽일 때 가마솥에 삶아 죽이는 고약하고 잔인한 짓을 했지. 현대 사회에서는 적어도 그런 짓을 하지는 않지. 근데 말이야. 그게 과연 인권의 신장일까? 그냥 죽음, 죽이는 것, 복수 등에 대한 개념이 달랐을 뿐이야. 난 안 바뀐다고 봐. 그러면 민주주의자들은 나를 패배주의자로 비판하거나, 그동안의 투쟁으로 이나마 민주주의를 이룩했다고 반박하겠지. 물론 그런 점을 나 역시 완전히 부인하는 건 아냐."

"부인하지 않으면? 그만두시지. 또 그 얘기 아냐? 인류 역사는 당대 사회의 자본 구조와 사람들의 마음들이 모여서 문화적 체면이라는 것을 만들고, 그것이 사회의 공기를 형성한다는, 너 여론조사 쟁이의 주장 말이야."

"어허, 이제 좀 학습이 되었나 보네. 가르친 보람이 있어. 그러니까 괜히 잘난 놈들이 배설하는 SNS 보면서 우울하게 지내지 말란 말이야. 사는 건 실존이야, 실존! 하루하루 그냥 존재하는 거야. 자꾸 과거와 미래를 떠올리며 현재를 불행하게 만들 필요는 없단 말씀이지."

"그래서 너는 행복하냐?"

"행복? 그거참 좋은 질문이다. 어떤 놈이 행복이란 단어를 만들었는지 모르지만, 불행이라는 말은 있을 수 있지만, 행복이라는 말은 있을 수가 없어. 불행이란 어떤 일의 원인이자 결과가 될 수 있지만, 행복이란 것은 그 순간 뇌가 느끼는 어떤 기분에 불과하거든. 그러니까 쳐다보면 있고 안 보면 없어지는 그런 것이야. 그런데 인간들은 보지도 않으면서 자꾸 찾는 바보짓을 하는 거야. 행복이 왜 없겠어? 근데 인간들이 찾으려고도 하지 않고 어쩌다 찾았다 해도 너무 찰나적이라서 없는 거나 마찬가지란 말이야."

"그래서 너는 행복하냐고?"

"나? 행복 안 해. 그냥 물러설 곳이 없어서 그냥 올라가는 것뿐이야. 몇 층인지도 모를 엘리베이터 없는 몇백 층 건물 계단을 걸어 올라가는 기분이야. 기독교에서 말하는 천국으로 가는 사다리가 아니라, 유대교에서 말하는 고통스러운 사다리를 올라가는 기분이야. 그런데 어쩌겠어? 행복이라는 단어만 싹 내 머릿속에서 지우면 견딜 만해. 물러설 곳이 없잖아. 애들이 크고 있잖아. 대학 보내야지. 까칠한 대학교수 마누라 어쩌겠어, 같이 살아야지. 매주 찾아가야만 하는 노인네들의 투정과 잔소리 어쩌겠어, 자식 된 도리로 해내야지. 매주 목욕시켜 드리는 우리 아버지 말이야. 여전히 가장 당신이 똑똑해서. 어머니는 여전히 내가 교수 되지 못했다고 날 못마땅해하는 눈치고. 아버지 목욕시켜 드리다 타올에 똥이 묻어 나오면 그때 기분이 어떤지 알아? 그래도 어쩌겠어. 살아야지. 그래서 난 행복이라는 단어를 아예 지우려고 노력하는 중이야."

2.

술이 센 승훈이 약간 취한 기운을 보이며 말을 막 내뱉었다. 부모들 얘기가 나오자 나는 괜히 우울해지면서 생사를 알 수 없는 아버지와 돌아가신 어머니를 떠올렸다. 화제를 돌리고자 나는 상필 얘기를 꺼냈다.

"상필 어머니 찾아뵈어야 하는데, 참 용기가 안 나네. 우리 함께 가봐야지. 그 어머니는 너 같은 아들도 이젠 먼저 가버렸고 아프시기라도 하면 어떡하냐?"

"그래 가자, 올해가 가기 전에 꼭 가자. 가야지. 정말 우린 왜 이렇게 할 일이 많고 온통 의무뿐이냐?"

승훈은 정말 답답하다는 듯 울상을 지으며 말했다. 소주잔을 잡은 그의 손이 약간 떨리는 것을 보면서 나는 이제 술을 그만 마셔야겠다고 생각했다. 경기가 안 좋아서 그런지 8시가 넘자, 하나둘씩 테이블이 비어갔다. 내가 이제 나가자고 말하자, 승훈은 팔을 번쩍 들며 맥주를 시켰다. 맥주가 테이블에 올려지자, 승훈은 맥주와 소주를 섞은 후 꿀떡 마시고는 희미한 웃음을 지으며 눈을 깔고는 고개를 저으며 혼잣말처럼 불쑥 수경이 얘기를 꺼냈다.

"장례식장에서 무슨 일이 있었던 거니? 그 이후로 수경이가 좀 이상해졌어."

나는 특별한 일이 없었다고 말하면서 맥주잔에 소주와 맥주를 붓고는 잔을 잡으려는데, 잔 위에 승훈이 손을 얹고는 내 눈을 쳐다보며 말했다.

"말해 줘. 무슨 일이야? 왜 수경이가 시댁에도 안 가겠다 하고, 말도 거의 안 하고 지내는지 알아야겠어."

승훈의 눈동자가 내뿜는 빛은 마치 거미가 기어 나오는 것처럼 느리면서도 집요하게 내 눈을 향하였다. 어느 정도는 얘기해야 하는 상황이라는 것을 파악한 나는 그날 수경에게서 받은 느낌을 말해주었다. 대사는 줄이고, 행동은 거의 생략한 채 요지만 전달하는 방식이었다. 상필의 죽음에 간접적인 부채감이 있는 것 같았고, 술을 많이 마셨으며, 학교생활이 무척 힘든 모양이라고만 짧게 말했다. 차마 오럴 섹스만 요구하는 잠자리 얘기는 할 수 없었고, 더구나 다른 남자와의 섹스 경험은 말하면 안 되는 것이었다.

"물론 힘들겠지. 사업한답시고 맨날 털어먹는 남동생 뒤치다꺼리도 그렇거니와 뇌졸중으로 요양병원에서 5년째 있는 아버지 건사도 힘들 거야. 게다가, 내가 모른 척하고는 있었지만, 상필이와 미묘한 감정이 있었잖아. 근데 그것만으로 다 설명이 안 돼. 왜 그렇게 사람이 돌변했는지."

"왜 수경이가 결벽증 같은 게 좀 있잖아. 말 못 할 학교생활이 있을 수도 있고, 지식인 특유의 시대적 고민이 극에 달한 상태에서, 사회적 실천을 하던 상필이가 그렇게 가버렸으니, 일시적으로 그럴 수 있는 거 아냐?"

승훈은 담배 있냐고 묻더니 나가자고 했다. 어수선한 종로 뒷거리의 오래된 건물에는 노랗고 빨간 네온 간판이 반짝이고 있었지만, 사람들은 별로 오가지 않았다. 담배를 피우지 않던 승훈은 기침을 하며 담배를 반쯤 태우다가 끄고는 나를 쳐다보지도 않은 채 말했다.

"나 사실 니들 만나는 거 어떨 땐 괴로워. 왜 괴로운지 생각해 보니 내가 비밀이 많아서 그런 것 같아. 왜 니들 한 명 한 명에게 내 비밀이 붙들려 있는지 알 수 없지만, 하여튼 좀 그래."

"붙들린 비밀? 나에게 붙들린 비밀은 뭔데?"

나에게 붙들린 비밀이란, 승훈이 대학 강사 시절 여론조사 회사 설립 종잣돈 2천만 원을 빌린 것을 말했다. 사실 그 돈은 종잣돈으로 쓰인 것이 아니라, 강사를 수경 몰래 그만두고는 강의 나가는 것처럼 하기 위한 것이었다. 그리고 그중 일부는 투자받기 위한 사교 비용으로 사용하였다. 물론 그 돈은 승훈이 여론조사 회사를 차린 후 분납으로 돌려받았다. 난 그게 뭔 붙들린 비밀이냐고 힐난도, 위로도 아닌 투로 말했다. 그는 한숨을 내쉬며 "그러게 말이야, 그게 왜 그런지 나도 모르겠다"라고 했다. 그러면서 다시 놀라운 얘기를 했다. 나에게 빌린 2천만 원 중 일부는 사교 비용으로 썼는데, 어쩌다 한두 번 투자 실무자 접대를 위해 간 룸살롱에서 진경이를 만났다는 것이었다.

"뭐? 진경이? 차진경이 말하는 거야?"

"그래 우리 친구 진경이 말이야."

"걔가 거기서 뭘 하고 있었는데?"

"놀라지 마. 걔가 거기서 에이스였어."

"정말?"

"그럼 지도 놀라고 나도 놀랐지. 그때 진경이가 나를 룸 밖으로 불러내더니 그러더라. 다음에 기회 되면 다 얘기해줄 테니 서로 비밀로 하자면서. 그러고는 다른 룸으로 갔어."

"진경이가 큰 부동산 회사에 다니지 않았어? 지금도 그렇고."

"그 전 일이었을 거야. 우리 친구 중 가장 일찍 판사와 결혼하면서 한동안 소식이 끊어졌잖아. 그사이에 잠깐 있었던 일 같아."

"그래서 이후 숱하게 만나면서 그 일에 대해 풀었어?"

"아니. 진경이와 나는 약속이나 한 듯 말하지 않았어. 심지어 단둘이 있는 순간에도 진경이는 마치 백치처럼 그 일을 기억도 못 하는 듯했어."

"세상에, 세상에. 그랬구나. 그게 진경에게 붙들린 기억이야. 그게 다야?"

"아니, 상필에게도 붙들린 기억이 있지."

"야, 들어가서 듣자. 춥다."

식당 종업원들은 우리가 들어오자, 테이블을 힐끗 보면 이제 좀 나가주면 좋겠다는 표정을 지었다. 나는 반발하듯 벽에 걸린 시계를 보았는데, 8시 23분이었다. 잔에 남은 술을 건배하는 승훈의 표정은 아까보다 훨씬 밝아 보였다. 상필에게 붙들린 기억은 뭐냐고 묻자, 승훈은 "너도 알잖아" 하면서 인상을 찌푸렸다. 상필이 군대 가기 전까지 수경과 어정쩡한 상태이긴 하지만 사귄 것을 말하는 것이었다.

"에이, 그건 어릴 때 잠깐 있었던 일이지, 우리끼리 함께 농담으로도 다룰만한 거였잖아. 그게 뭐 붙들린 비밀이야?"

"꼭 그런 것만도 아냐. 상필이는 언제나 누군가를 필요로 하면서도 정작 그 필요를 채워줄 사람을 만나면 회피하곤 그랬어. 특히 수경이가 그랬거든. 근데 나도 사실 상필과 수경의 미묘한 관계를 알면서도 끼어들었던 거 부인 못 해. 상필이는 그걸 알아. 그러고는 양보하듯 군대로 가버린 거지."

나는 한숨을 쉬며 술을 따라 마시고는 천장을 한참 올려다보았다. 승훈도 역시 술을 따라 마시고는 고개를 숙이고 있었다. 무슨 생각에서인지 내가 소리치듯 말했다.

"야, 승훈아. 어디 가서 한 잔 더 안 할래?"

"그래. 어디로 갈까?"

"니네 동네로 가자. 수경이도 불러내고."

승훈은 그 말에 동의한다는 듯 대답 없이 일어섰다. 안국 사거리에서 탄 택시가 금화터널을 지날 때 차창 밖으로 얼핏 상필이가 나타났다. 반대편을 보고 있는 승훈의 무릎을 툭 치자 승훈도 돌아봤고, 우리는 함께 차창에 어린 무표정한 상필의 얼굴을 보았다. 승훈과 나는 동시에 나지막한 소리로 신음처럼 "상필아"하며 부르는 순간 택시는 터널을 빠져나왔고 그 순간 상필은 사라졌다. 내가 "봤지?"라고 묻자, 승훈도 "응. 봤어"라고 대답했다. 이후 남가좌동 아파트 단지 앞에 닿을 때까지 우리는 아무 말도 하지 않았다. 아파트 상가의 호프집에 들어가서 술과 안주를 시키고는 내가 회사는 잘 되냐고 묻자, 승훈은 망하기 일보 직전이라고 했다. 여론조사 기관이 많이 생겨서 수주 단가도 떨어지고, 점차 정치권 인맥으로 파고드는 신규 업체들에 밀린다는 것이었다. 게다가 고객이 원하는 미묘한 여론조사도 적지 않아서 참 힘들다고 했다. 직원들 월급 주기 어려우면 손을 들겠다고 했다. 내가 그다음 계획을 묻자, 어디든 큰 여론조사 기관에 어떤 지위라도 좋으니 들어가겠다고 했다. 그때 맥주와 먹태가 나왔다. 승훈이 먹태를 손가락으로 집적거리며 말했다.

"먹태 이놈 이거 꼭 우리 같지 않아?"

" .... "

"넙데데하게 생겨갖고 맛이 있는 것도 아니고 없는 것도 아니고, 이거 대가리 물에 끓이면 나름 맛이 우러나기도 하는, 쓸모 있는 듯 없는 듯한 거 말이야."

나는 그 말을 무시하듯 상필이 얘기를 꺼냈다.

"상필이가 왜 나타났을까? 아직 우리 주위에 머물고 있을까?"

"그러지 않을까? 걔가 어디 갈 데가 없잖아."

"정말 귀신이니 영혼이라는 게 있다고 생각해?"

"아까 봤잖아, 분명히."

"그러게 말이야. 무섭다기보다는 왠지 위로가 되네. 죽는 게 아주 죽는 게 아니라는 점에서. 하지만 죽어서 허공을 떠돈다고 생각하니 그건 더 처참한 기분도 들고."

"인간과 귀신이 존재하는 우주가 아예 다른 곳이라고 생각하면 되지 않을까? 어쩌다 강한 생각이나 감정이 들 때 서로 다른 우주가 일시적으로 마주치는 정도로."

"평행우주나 다중우주 그런 걸 말하는 거야?"

"어, 무식한 줄 알았는데 뭘 좀 아네. 나도 막연히 생각하는 거지만 그런 거 같아. 그러니까 이번 생은 이번 생의 기준에 맞춰 그냥 살면 되는 거야."

"그런데 정작 넌 뭔가에 붙들려 살고 있잖아."

3.

그때 호프집 문이 열리면서 수경이 손을 가볍게 흔들며 들어왔다. 수경은 애써 웃어 보였지만 냉소적인 차가움이 느껴졌다. 수경이 자리에 앉으며 말했다.

"어쩐 일이야? 우리 집 앞까지 다 오고."

"말할 줄 아시네."

승훈이 빈정거리듯 말하자, 수경은 승훈을 힐끗 보면서 말했다.

"그러는 당신은? 늦으면 늦는다고 미리 말이라도 해야지."

"미안, 비택이 갑자기 불러내서. 애들은 다 들어왔지?"

"비택이가 사람을 갑자기 불러낼 때도 있구나. 여하튼 오늘 무슨 바람이 불어서 이렇게?"

승훈은 나에게 눈을 끔벅했고 수경은 둘을 번갈아 보며 물었다. 내가 여기로 오자고 했으나 마땅히 할 말이 없던 나는 엉겁결에 말했다.

"승훈이가 뭔가에 붙들려 사는 것 같아서 오늘 내가 그 푸닥거리 좀 하려고."

"뭐? 뭔가에 붙들려? 자기, 뭔가에 붙들려 있어? 글쎄, 잘됐네. 승훈이한테 들었을 거야. 내가 요즘 묵언 수행 한다고. 근데 이 사람은 말하는 거 같아도 실제로는 말 안 해. 이상한 거만 시키고. 한 번도 자기 속을 제대로 내보인 적이 없어. 대학 강사 그만둘 때도 나에게 제대로 말도 하지 않고 혼자 결정한 거야."

술도 취하지 않은 수경의 거침없는 도발에 승훈은 얼굴이 빨개졌다. 당황한 빛이 역력한 승훈은 나를 보며 기분 나쁜 표정으로 턱을 올렸다 내렸다.

"거봐, 왜 여기 오자고 해서는."

"그런가? 내가 잘못한 거 같네. 그렇지만 이참에 말을 좀 해보는 건 어떨까? 내가 심판할 테니"

그렇게 어렵사리 이야기가 시작되었다. 어떤 순간은 싸움으로 이야기가 파국이 날 것 같기도 했다. 승훈이 자신의 예상치 못했던 이야기를 털어놓을 때의 표정은 한 번도 보지 못한 것이었다. 수경은 승훈이 털어놓은 이야기에 가끔 반론을 제기하거나 답답한 표정을 짓기도 했지만, 몰랐던 사실을 들었을 때는 숙연한 표정을 지었다. 얘기는 우리가 터널을 지나면서 본 상필에 대한 것으로 시작되었다. 수경은 별로 놀랍지 않은 표정으로 상필의 표정에 관해 물었고, 우린 무표정했다고 답했다. 수경은 "상필이가 여길 못 떠나는 것이 아니라 우리가 상필이가 떠난 것을 받아들일 준비가 되지 않은 것 같다."고 했다. 사랑하는 사람이 죽었을 때 충분히 슬퍼하고 그의 상실을 인정하고 받아들이는 것 즉 애도가 이루어지지 않았다는 것이다. 프로이트의 애도와 멜랑콜리에 대한 말이라는데 그럴듯했다. 이어서 수경은, 애도가 이루어지지 못했기에 우리는 계속 멜랑콜리한 상태에 있게 되고, 그러면 상필은 계속 나타날 것 같다고 했다. 수경의 말에 승훈은 고개를 숙인 채 끄덕거렸고, 나는 가벼운 한숨을 쉬면서 몇 년 전 우연히 읽은 <멜랑콜리 연남동>이라는 소설을 떠올렸다. 그 소설 주인공은 자살하는데, 상실한 무엇인가를 끝내 받아들이지 못했던 것이라고 해석하니 제목이 새삼 이해가 되는 것 같았다.

승훈은 부모 대대로 서울에서 살아온 전형적인 서울 사람이었다. 합리적인 성품에 교양있는 말투 그리고 감정을 에둘러 말할 줄 알았으며 외모도 반듯했다. 조상 대대로 서울에서 살아온 많은 서울 사람이 그렇듯 승훈도 도심에서 서울 외곽으로 밀려났고, 그의 부모들은 일산으로 밀려났다. 수경이 말했듯, 승훈은 속에 든 얘기를 거의 하지 않았다. 그건 승훈이만 그런 것이 아니라, 나도 그렇고 진경도 그랬다. 상필이가 가장 솔직하게 자기주장을 하는 편이었지만, 그의 죽음을 통하여 그 역시 말을 다 하지는 못했다는 생각이 들었다. 장례식 때 수경이 온갖 자신의 고통과 치부를 다 드러냈지만, 주장이 분명한 수경조차 그전까지는 내면을 드러냈다고 볼 수는 없다. 그러고 보니 우리는 알은 지, 이십 년이 넘는 친구들이었지만 사실 할 얘기를 다 하는 사이가 아니었다. 우리만 그런 것이 아니라, 원래 인간이란 서로 피상적으로 알면서 미운 정 고운 정만 잔뜩 묻힌 채 영원히 서로를 이해하지 못하고 각자 죽는다는 생각이 들었다.

4.

승훈이 초월적인 힘을 느끼고 그것을 두려워하게 된 것은 몇 개의 사건을 겪고 난 이후부터였다. 이는 세상과 인간에 대한 두려움으로 이어졌으며, 사람을 덜 상대하는 여론조사 회사를 창업한 것과도 연관이 있었다. 승훈이 미국에서 박사 학위를 받은 후 처음에 취업한 곳은 정부 산하기관이었다. 연구원 신분으로 있으면서 두 대학에 강의를 나갔고, 2년 후 모교의 연구 프로젝트의 연구원으로 참여하면서 기관 근무를 그만두었다. 모교에서 승훈은 주어진 과제를 연구하면서 학부와 대학원에 각각 한 개의 강의를 맡았다. 학부 은사인 주 교수는 승훈에게 은전을 베푸는 것처럼 했지만 사실 승훈이 과제 선정과 수행에 필요했기 때문이었다. 하는 수 없이 강의를 주기는 했지만, 전공이 비슷하여 금방 학생들 사이에서 둘을 비교하는 소문이 나돌았다. 게다가 주 교수는 은근히 승훈이 개인 비서 같은 역할을 해 주기를 바랐다. 하지만 승훈은 주 교수의 요구를 눈치채지도 못했거니와 알았더라도 그런 행동을 하지 않았을 것이다. 문제는 일 년 만에 학과의 어느 교수가 자신의 모교로 자리를 옮겨서 신임 교수를 채용할 때 일어났다. 당연히 승훈은 지원하였고, 주 교수가 자신을 지지해 줄 것으로 생각했다. 하지만 주 교수의 마음은 다른 이에게 가 있었다. 주 교수는 자신을 떠받들어 줄 인물 그리고 학과 내 자신의 위치를 위협하지 않을 인물을 원했다. 주 교수는 한때 교무처장을 지내면서 총장과 친하게 지낸 친분을 활용하여 총장에게 승훈이 부적합하다는 의견을 냈다. 주 교수는 총장을 직접 찾아가서, 1차 서류 심사에서 1위를 한 승훈의 인성이 학과 내 인화에 문제가 될 것이며, 전공도 적합하지 않다고 말한 것이었다. 이는 총장 비서실장을 하던 철학과 동기로부터 훗날 듣게 되었다.

신임 교수 채용이 진행되던 기간이었다. 주 교수가 점심을 먹자고 했다. 행사 후의 회식이나 점심을 같이 먹는 일은 있어도, 이렇게 자신이 밥을 사겠다는 것은 처음 있는 일이었다. 항상 대접만 받던 사람이었다. 자기 개인 일을 시킨 여학생에게도 시장의 순대국밥을 사줘서 욕을 먹은 사람이었다. 학교에서 제법 떨어진 곳에 있는 소박한 한정식집이었다. 승훈은 전날 과음한 탓에 자리에 앉다가 소맷자락으로 물컵을 건드려 쏟았다. 주 교수는 한동안 인상을 쓰면서 인사도 받는 둥 마는 둥 했다. 그래도 자신이 부른 자리라 그는 요지를 알아듣기 힘든 말을 많이 했다. '세상을 살아가는 방법은 많다. 연구 프로젝트에만 목매달지 말고 다른 일도 알아봐라, 대학은 실력만으로 사는 것이 아니라 대학 내부에서 요구하는 여러 보이지 않는 요구들에 부응해야만 적응할 수 있는 곳'이라는 등 별 맥락도, 두서도 없이 툭툭 던지듯 말했다. 무엇을 특별히 물어보지도 않았고, 개인적 사항에 관한 질문도 없이 밥을 먹으며 그냥 자기 말만 하는 방식이었다. 승훈은 때로는 대답하고 때로는 묵묵히 들었다. 삼십 분도 채 안 되어 주 교수는 자리에서 일어나 계산하였다. 그는 식당을 나와서는 학교로 가니 자기 차를 타라고 했다. 엉겁결에 차를 탔는데 가는 동안 주 교수는 한 마디도 말하지 않았고, 화난 사람처럼 사납게 운전을 했다. 그제야 승훈은 주 교수가 화가 났으며, 그 이유는 밥값 계산을 자신이 하지 않았기 때문이라고 짐작도 했지만, 어쩌면 그 상황 자체가 그를 화나게 했을지도 모르겠다고도 생각했다.

그렇게 학교로 돌아온 후, 승훈은 조만간 저녁 식사 대접을 하며 주 교수의 노여움이나 오해를 풀 생각을 했다. 주 교수가 총장에게 자신에 대해 적극적으로 부정적인 언급을 했을 것이라고는 상상도 못 했기 때문이었다. 그런데 그다음 날 주 교수가 연구 프로젝트를 수행하는 공동 연구실로 불쑥 들어와서는 조교가 타 준 커피를 마시며 이상한 말을 하였다. 승훈을 비롯한 세 명의 연구원을 앞에 둔 자리였다. 어젯밤에 누군가가 자기 차 윈도 브러쉬를 부러뜨려 놨다는 것이었다. 그러고는 승훈을 노려보았는데, 승훈은 어리둥절한 채 있다가 그가 일어서자, 문밖까지 배웅하였다. 승훈은 주 교수가 사는 아파트 단지 이름도 모르는데, 그가 자신을 의심한다고 생각하니 한숨이 절로 나왔다. 이후 승훈은 원래 3년으로 예정된 연구 프로젝트팀에서 1년 만에 나왔다.

학과의 교수 한 명이 다른 곳으로 옮긴다는 말을 들었을 때, 승훈은 하늘이 자신을 돕는다고 생각했다. 모교의 은사 밑에서 연구 과제 선정에서 주도적인 역할을 했으니 당연히 유리하리라 생각했기 때문이었다. 하지만 그것은 양날의 칼이었다. 너무 가까이 가면 안 되는 것이었다. 지독한 배신감과 패배감과 억울함은 승훈을 몇 달 동안이나 괴롭혔다. 인간에 대한 혐오와 세상에 대한 원망을 아무에게도 드러내지 않고 속으로 삭이느라 그야말로 속이 썩어 문드러져 갔다. 이후 수도

권 대학 두 군데에서 시간 강사를 하던 중 주 교수의 부음을 듣게 되었는데 승훈은 문상을 가지 않았다. 미움보다는 무서운 생각이 들었기 때문이었다. 쉰여섯밖에 되지 않은 주 교수는 췌장암으로 몇 달 앓다가 갑자기 죽었다. 승훈은 자신의 원망이 그를 죽게 했을지도 모른다는, 죄책감이라기보다는 어떤 불길한 기운에 시달렸다.

사실 이런 일이 처음이 아니었다. 알 수 없는 어떤 이유로 승훈을 미워했던 사람이 있었다. 그 미움이 얼마나 지독했는지 우연히 어느 장례식장에서 마주친 승훈에게 칼날 같은 눈빛과 막말을 던졌다. 이유를 몰랐기에 승훈은 대처하지 못했다. 그는 주변 사람들에게도 승훈에 대한 악담을 퍼트려 전혀 상관없는 또 다른 어떤 이도 우연히 마주친 승훈에게 이해할 수 없는 독설을 퍼부었다. 그 어떤 이는 승훈의 대학 후배인데 왜 영문도 모를 말을 자신에게 했는지 승훈으로서는 알 수가 없었다. 승훈은 그 자리에서 바로 대응하지 못했던 자신을 자책하는 수밖에 없었다. 몇 가지 이유를 짐작할 수는 있었지만, 미워했던 사람의 오해 혹은 자기합리화를 위한 승훈을 향한 미움이라는 생각 밖에 들지 않았다. 이런 경우에 대처할 방법은 없다. 화해를 요청할 수도 없었고, 화해할 실체도 없고, 실익도 없는 것이기 때문이었다. 여하튼 승훈을 미워했던 그 사람은 사십 대 중반의 나이에 집안이 소유한 성남의 어느 고등학교 재단 이사장으로 있다가 횡령 등의 혐의로 적지 않은 기간 동안 징역을 살았다. 또 가족 관계의 어려움 등 여러 어려움이 있다는 말을 전해 들었다. 그의 부당한 미움은 승훈의 가슴 속에 영원히 지워지지 않고 남아 있었다. 승훈이 두려워한 것은 자신을 부당하게 미워했던 이의 더 큰 불행이었다.

왜냐하면, 승훈의 마음속에 깊게 남을 정도로 모욕이나 불이익 혹은 욕을 입힌 사람이 죽는 것을 고등학교 때도 겪었기 때문이었다. 그는 승훈을 부당한 이유로 폭행했던 영어 교사였다. 또 여론조사 회사를 차려서 사업도 잘되고 여러 방송에도 나갔을 때 유독 자신을 질투하며 음해를 일삼는 선배가 한 명 있었다. 생긴 것과는 달리 입이 가볍고 경박하여 헛약속을 잘하며, 명예욕과 질투심 그리고 열등감이 심한 사람이었다. 그는 어떤 문화단체의 위원장을 오랫동안 하다가 결국 온갖 모욕을 겪으며 자리에서 쫓겨났다. 승훈은 막연하게나마 그가 더이상 불행한 일을 겪지 않기를 바랐다. 성경에는 레위기를 비롯한 많은 곳에서 '복수는 나 하나님의 몫이니, 너희 인간들은 복수하지 말라'는 말이 나온다. 하지만 승훈은 성경의 이 말을 일반론으로 받아들일 뿐이었다. 왜냐하면, 그렇지 않은 경우도 많기 때문이었다.

내성적인 승훈은 겉으로 보기엔 유순했다. 하지만 그는 경쟁심이 강했고, 인류 역사를 발전의 관점에서 본다면 그 원동력은 경쟁과 질투라고 생각하는 사람이었다. 특히 자신에게

치명적인 심리적 타격을 입힌 사람은 깊게 마음에 두는 편이었다. 바로 그것이 원한을 품고 복수하려는 마음 즉 앙심이었다. 승훈은 자신에게 앙심이 있다고 생각하지는 않았지만, 주교수의 죽음 등을 겪으면서 자기 앙심의 파괴력이 크다는 것을 자각하게 되었다. 승훈이 대학 강사를 그만둔 것은 사실 장래가 불투명하기 때문만은 아니었다. 주 교수의 죽음을 본 후에 내린 결정이었다. 자신의 전문성 안에서 직접 사람과의 만남을 적게 할 수 있는 일을 하려고 했던 것이다. 하지만 학교를 떠나 여론조사 회사를 차린 이후에도 유사한 일이 있었다. 대학에서 연간 5억에 가까운 연구 프로젝트를 딴 후 신규 연구원을 뽑는 과정에서 자신이 탈락시킨 박사과정생에게 일어난 일이었다. 대학을 떠났지만, 가끔 여론조사 학회 세미나에 토론자로 참석하는 일이 있었는데, 그때 세미나장 입구 접수대에서 자신이 탈락시킨 그 학생을 만났다. 그는 자신에게 유독 쌀쌀맞은 표정으로 토론자에게는 무료로 주는 자료집을 오천 원에 팔았다. 돈이 문제가 아니었다. 그가 보내는 원한에 찬 표정과 이상한 모욕감은 행사 내내 이어졌고, 몇 년이 지나도록 잊을 만하면 가끔 생각이 났다. 그런데 어느 날 그의 부고를 듣게 되었다. 승훈은 자신의 앙심 때문이 아니라고 생각하려고 무진 애를 썼지만 괴롭고 무서운 감정을 떨칠 수가 없었다.

승훈이 이런 얘기를 털어놓은 것은 처음이었다. 수경과 나는 승훈이 고백하듯 말하는 이십여 분 동안 한마디도 끼어들지 않았다. 숨 가쁠 정도로 말을 내뱉은 후, 승훈은 맥주를 벌컥벌컥 들이켰다. 그러고는 이십 년 넘게 H 중공업에서 부당 해고 복직 투쟁을 한 어느 노동운동가에게 매달 금전 지원을 했다는 말도 덧붙였다. 아마 천만 원은 넘을 것이며 그는 지금 극우 정당의 국회의원이 되었다고 했다. 그러고는 한숨을 쉬면서 자신이 무슨 짓을 했는지 알 수 없다는 말도 덧붙였다. 호프집 사장은 우리를 배려한 듯 음악 소리를 낮췄다. 승훈이 잔을 내려놓자, 수경이 나지막하면서도 다정하게 말했다.

"그런 얘기를 왜 이제야 하는 거야?"

"다른 사람이 들으면 황당하잖아. 게다가 별로 좋은 얘기도 아니고."

"나에게도 좀 앙심을 품어보지 그랬어?"

"어, 어. 농담이라도 그런 식으로 말하지 마. 힘들단 말이야. 그건 그렇고 넌 왜 요즘 말 안 해? 내가 뭘 잘못해서 그러는 거야?"

"사는 거 자체가 지겨워서 그래. 너 때문에 그러는 거 아냐."

"그래도 난 가시방석에 앉은 것 같은데."

"그래 내가 잘못했어. 네 말을 들으면서, 내가 말로 표현하기 힘든 것들을 생각해 봤는데, 네 문제가 훨씬 실존

적이네."

내가 끼어들었다.

"상필이를 빨리 애도해서 보내자. 그리고 조만간 진경이도 함께 상필이 어머니께 찾아가자. 수목장한 곳도 잘 있나 둘러보고. 그러면 너희도, 나도, 진경이도 좀 편안해질 것 같아."

승훈과 수경은 어느새 눈가가 촉촉해진 채 고개를 끄덕거렸다. 우리는 다시 술을 따르고 말없이 건배했다. 승훈이 술을 마신 후 어머니는 가끔 찾아가느냐고 나에게 물었다.

"일 년에 한 번 정도 강릉에 갈 때 절에 가는 정도야"

승훈이 갑자기 떠난 어머니 얘기를 꺼내서, 나는 잠시 아버지와 어머니를 생각했다. 겉으로 드러나지 않았던 두 사람의 지독한 불화는 어디에서 비롯되었는지 생각했지만, 운명과 인연이라는 단어밖에 떠오르지 않았다.

내가 그런 생각에 빠진 것을 본 승훈은 화제를 바꿨다.

"불교에서는 사는 건 고통이라고 하던데 요즘 들어서는 실감해."

"그렇지, 과거엔 뻔한 소리라고 생각했는데, 요즘은 절실하게 느껴져."

내가 승훈의 말에 맞장구를 치자 잠시 말이 끊어졌다. 그러기를 몇 초 후 승훈이 수경을 보면서 물었다.

"시댁엔 왜 안가겠다는 거야? 영원히 안 갈 거야?"

"가야지. 근데, 넌 왜 우리 아빠 병원에 안가?"

"아, 그건. 가도 내가 딱히 할 것도 없고."

"그러니까 넌 안가잖아? 왜 나만 시댁에 가야 해?"

"그래 잘못했다. 말하지 그랬어."

"꼭 말을 해야 돼?"

"아냐, 아냐. 잘못했어."

시계는 10시를 지나고 있었다. 나는 일어서야겠다는 생각이 들어 마지막 말처럼 말했다.

"그건 그렇고 이제 비밀을 털어놓았으니 좀 홀가분해? 아직도 붙들려 있는 비밀이 있어?"

내 물음에 승훈은 씩 웃으며 아직 있다고 말했다. 수경이 폰과 지갑을 챙기며 나가자고 했지만, 나는 물었다.

"뭔데?"

"언제부터인가, 아마 세미나에서 나에게 그렇게 했던 애가 죽고 난 이후부터인 것 같은데 ……"

승훈은 말을 흐렸다. 반쯤 일어선 수경이 그 말에 승훈을 힐끗 보더니 일어서서 카운터로 향했다. 승훈이 수경의 등에다 소리치듯 말했다.

"발기가 안 돼, 발기가!"

수경이 두 걸음을 걷다가 멈칫 섰다. 그러고는 뒤를 돌아보았다. 승훈은 참혹한 표정으로 눈을 질끈 감고 고개를 숙였다.

나는 승훈의 등을 두드리며 말해줬다.

"승훈아 잘했어. 다 털어놓은 거 잘했어. 앞으로는 잘
될 거야. 이제 비밀에서 벗어나."

겨울바람이 세차게 얼굴을 때렸다. 마침 빈 택시 한 대
가 아파트 단지에서 빠져나오고 있었다. 택시에 타면서
나는 다시 말했다.

"둘 다 붙들린 비밀에서 제발 풀려나. 기도할게."

수경은 멋쩍게 웃으며 손으로 인사를 했고 승훈이 웃으며
말했다.

"다음엔 네 차례야."

택시는 아까 왔던 길로 달렸다. 금화터널로 들어서자 나는
상필을 떠올리며 차창을 뚫어져라 보았다. 하지만 이제 상필
은 나타나지 않았다. 그 대신에 '어두운 나'가 내 옆에 앉았
다. 그는 나를 따뜻하게 껴안는 듯했다.

선물 같은 진경

1.

차진경은 누구의 말이라도 경청했고, 누군가에게 어려움이 생기면 곁을 지켜주거나, 표나지 않게 도움을 주었다. 그런 진경이는 없는 듯 존재했다. 우리 친구 다섯 명이 모여 있을 때조차 가끔은 그의 존재를 잃어버릴 정도로 자신을 드러내지 않았다. 어쩌다 각각 신경이 곤두서서 떠들 때면 잠깐 사라지기도 하는 묘한 사람이었다. 진경이 나와 잠자리를 하게 된 것은 나의 어리광 같은 주정 때문이었다. 상필이 나에게 욕을 퍼부은 날에 둘이 따로 술을 마시다가 첫 잠자리를 하게 되었다. 아마 상필이 죽기 1년 전쯤인 2021년이었을 것이다. 무슨 일이었는지 정확하게 기억나진 않지만, 상필이가 우리를 향하여 "너희들 신중함에 진저리가 난다"라고 말했던 날, 나도 지지 않고 상필에게 대꾸했다.

"넌 신중함이 너무 없어서 탈이야."

"그래서 비택이 너, 맨날 조심조심 살아서 뭐 이룬 거 있어? 비굴함밖에 남은 게 더 있어?"

난 자리를 박차고 일어섰다. 승훈이 "어, 어, 왜 이래?"하며 말렸고, 수경이는 고개를 꺾으며 한숨을 쉬었다. 상필은 가소롭다는 표정을 지으며 나를 쏘아보았다. 그때 진경이 몸을 일으키며 내 손을 잡고 당기며 속삭이듯 말했다.

"좀 져 주면 안 돼?"

그 말에 나는 진경을 힐끗 보고는 다시 앉으며 상필에게 말했다. 하지만 듣는 사람에게는 넋두리처럼 들렸을 것이다.

"너처럼 살아가는 것이 어쩌면 편한 일인지도 몰라. 실직의 두려움을 모르니까."

상필은 이번에는 비웃음 대신 허탈한 웃음을 띠며 "내 말이 심했다면 미안하다."라며 손을 내밀었다가, 내가 그 손을 잡지 않자 다시 거두며 잔을 잡았다. 일이 더 커지길 바라지 않았던 우리는 누구 하나 토 달지 않고 잔을 부딪쳤다. 그때 진경이 조그만 소리로 말했다.

"그래도 우리 친구가 있어서 나는 참 좋아."

진경의 바보 같은 말에 모두가 맘이 풀렸다. 수경은 진경의 어깨를 껴안으며 "나도 네가 있어서 참 좋아"하며 술을 입에 털어 넣었다. 그 말에 진경은 말을 이었다.

"상필이는 항상 한결같잖아. 그래서 나는 너무 좋아."

"그래 나도 진경이 네가 한결같이 푼수 같아서 좋아."

"야, 윤상필. 너, 그런 식으로 말할래?"

수경이 소리치듯 말하자 상필이 양손을 올려 흔들며 웃음으로 사과했다. 그러자 진경이 덧붙였다.

"적어도 우리 중에 선택적으로 정직한 사람은 없잖아? 상필이야 언제나 정직하지만 우리는 그래도 친구들에게 필요할 때만 정직한 척하면서 속이지는 않잖아. 그것만으로도 우린 괜찮아. 다 괜찮다고 생각해."

모처럼 들어보는 진경의 진심 어린 말에 모두 힘을 얻은 것처럼 표정이 밝아졌다. 이후 몇 잔이 더 돌고 우리는 각자 헤어졌다. 을지로 입구 역 지하철에서 헤어지면서 상필은 내 어깨를 툭 치며 씩 웃고는 등을 돌렸다. 상필 나름의 사과 표현이었다. 여전히 맘이 완전히 풀리지 않은 나는 웃는 것도 찡그린 것도 아닌 어색한 표정으로 손을 들어 보였다. 성신여대 근처에 사는 진경과 수유리에 사는 나는 충무로역에서 4호선으로 같이 환승하였다. 우리는 각자 폰을 들여다보며 몇 정거장을 지났는데, 혜화역을 지나치자 진경이 정면으로 나를 보지 않은 채로 "성신여대에 내려서 한 잔 더 할까? 우리 집에 가도 좋고."라고 말했다. 1분 남짓한 시간 동안 결정하지 못한 내가 말을 않자 진경이 "괜찮은 모양이구나. 그럼 됐고"라고 말하며 전철에서 내렸다. 나는 어정쩡하게 서 있다가 문이 닫히려고 할 때 내려서 앞서 걷는 진경의 어깨를 툭 쳤다. 고개를 돌리며 웃는 진경의 표정은 해바라기처럼 환했다. 그날 진경의 집에서 와인을 한 병 마시고 나서다가 현관 앞에서 나는 진경을 껴안았다. 진경은 아무 저항도 없이 나의 키스를 받아주었다. 흥분보다는 어색함이 더 많았던 섹스였다. 나로서는 오랜만에 하는 섹스였는데 진경은 아마 더 오래된 것 같았다. 훗날 왜 그날 나에게 그랬냐고 물으니, 진경은 "그냥 널 지지하고 싶었어. 지켜주고 싶기도 했고"라고 대답했다. 그러고는 고개를 젓고는 내 눈을 바라보며 잠시 망설이다가 난처한 표정으로 이렇게 말했다.

"친구로부터 가족을 느끼고 싶었나 봐. 섹스하는 것이 친구가 되기에 가장 좋은 방법이기도 했고."

내가 뜨악한 표정을 짓자 진경은 "놀라는 것 좀 봐. 섹스라고 말하지 말고, 나와 너를 구분하지 않는 방법이라고 해두자. 자 그럼 됐지?"라고 말하며 아이 머리를 쓰다듬듯 내 머리를 만졌다. 그 이후로 우리는 한 달에 두어 번 정도 만났는데, 주로 서점에서 만나 같이 책을 고르다가 늦게까지 술을 마시곤 했다. 나는 진경과 함께 있는 것이 좋았으며, 그녀를 쳐다보는 것만으로도 충분했다. 하지만 몇 달에 한 번씩 같이 잠자리를 하곤 했는데, 그다

지 열정적인 섹스를 하는 것은 아니었다. 섹스하면서도 나는 그녀의 얼굴을 보는 것이 더 좋았다.

2.

진경과 나는 영상자료원에서 대만 영화감독 차이밍량의 <애정 만세>를 함께 보았다. 상필이가 죽은 지 두어 달 지났을 때였다. 창밖으로 멀리 한강이 보이는 회사 옥상에서 석양이 구름 사이로 붉은빛을 언뜻언뜻 내비치는 것을 하염없이 바라보며 담배를 피우고 있을 때, 전화가 왔다.

"나야 진경이. 오늘 저녁 약속 있어?"

"어, 오랜만이네. 약속 없어."

"그럼, 나랑 영화 보러 가자."

"영화? 뜬금없이 무슨 영화를. 그러지 말고 같이 저녁이나 먹자."

"아냐. 보러 가야 해."

"무슨 영환데?"

"너 옛날에 대만 영화 좋아한다고 하지 않았어? 허우샤오셴, 에드워드 양, 차이밍량 감독 영화 말이야."

"아휴, 그게 언제 적 얘기야? 나 지루한 영화 본 지 꽤 됐는데, 졸지 않고 볼 수 있으려나? 여하튼 무슨 영환데?"

"차이밍량 영화야. <애정 만세>라고."

"그거 나 예전에 봤어."

"어휴 바보. 우리 동아리방에서 옛날에 같이 비디오로 봤잖아. 그러니까 제대로 된 곳에서 스크린으로 좀 보자는 거야."

그렇게 우리는 상암동에 있는 영상자료원에서 <애정 만세>를 보았다. 과거에 본 기억은, 가난한 청춘의 고독 같은 것이었는데, 이번에는 좀 다른 느낌이었다. 사회라는 사막 위에서 낙타를 끌고 걸어가는, 언제 어떻게 편히 쉴 수 있을지 알 수 없는 사람들의 얘기라는 생각이 들었다. 낙타가 우리를 끌고 가는지, 우리가 낙타에 끌려가는지 알 수 없는 기분이었다. 그 낙타는 우리 자신 혹은 분신이지만, 오로지 뜨거운 해를 견디며 걸어가는 물질이 아닌 형태로 존재하는 비물질 같은 것이었다. 여주인공 메이가 건조한 섹스로 밤을 지새운 후 아침에 밖으로 나와 벤치에 앉아 길게 우는 엔딩장면에서 진경은 그녀처럼 흐느끼며 울었다. 메이처럼 진경이 부동산 중개업자였기 때문에 그랬던 것 같지는 않고, 그냥 까닭 모를 삶의 공허함에 대한 공감 때문이었을 것이다.

두 쌍을 제외하고는 혼자 영화를 보러온 열 명 남짓한 관객들은 스크린의 엔딩 타이틀이 끝날 때까지 깊은 침묵 속에서 다들 감정을 진정시키고 있는 듯했다. 진경이 진정하기를 기다려 마지막에 우리는 나왔다. 진경이 화장실을 간 사이에 가벼운 퍼머넌트를 한 긴 머리에 안경을 낀 여자가 나를 물끄러미 보면서 다가와 말을 걸었다.

"잘 보셨어요?"

"아, 네. 다시 보니 또 새롭네요."

그녀도 영화를 보았는지 눈이 촉촉해진 채로 나의 눈을 보았다. 직원 명찰을 단 그녀는 다시 물었다.

"저, 모르시겠어요?"

"아, 홍수연 씨?"

"아, 제 이름을 기억하시는군요. 그때 그만두고 공부를 좀 하고는 여기 근무하고 있어요.

십 년 전 첫 직장에서 내가 대리를 할 때, 내 밑에서 근무하다가 나보다 먼저 퇴직한 직원이었다. 극장을 나온 11월의 늦가을 밤은 캄캄했다. 한 손에는 홍수연의 명함이 들려 있었고 다른 한 손은 진경의 손을 잡고 있었다. 우리는 혜화동 방향 버스를 타고 성신여대 앞에서 내렸다. 나는 맨 앞자리에 앉았고, 진경은 뒤로 가서 앉았다. 버스가 정차할 때마다 버스 기사는 작은 수첩에 뭔가를 적곤 했는데 내릴 때 보니 시를 쓰는 것 같았다. 우리는 해물 요리 식당에 들어가서 아귀찜을 주문했다. 음식이 나오는 동안 우리가 탄 버스 기사가 틈틈이 시를 쓰더라고 말하자 진경이 "그거 영화에도 나오는 건데"라고 반색했다. 짐 자무시 감독이 2016년에 만든 영화 <패터슨>에 관해 진경은 설명했다. 패터슨시의 버스 기사 패터슨은 단조로운 반복적 생활을 하면서 시를 쓰는데, 어느 날 아내와

외식을 하고 돌아오니 개가 그 노트를 갈가리 찢어버렸다는 내용의 영화였다.

"그 영화는 1주일을 담고 있는데, 그 지루한 반복의 연속 속에서도 그들은 전혀 지루하지 않고 담담하게 살아가고 있어. 패터슨에게 시를 쓰는 것은 밤에 가는 펍에서 마시는 맥주 한잔 같은 거고, 또 그 맥주 한잔은 삶의 쉼표 같은 거였어. 쉼표가 있는 삶에 대한 미묘한 영화였어."

"그렇지 우린 쉼표가 없지. 노는 거나 쉬는 것도 계획의 일부지. 진경이 넌 어때?"

"글쎄, 난 그 반대인 것 같은데. 난 지금 나가는 회사가 동생 회사잖아. 그래서 그런지 몰라도 난 삶을 그냥 흘려보내면서 리듬을 주기 위해 일하는 것 같아."

"좋은 팔자군."

"비아냥이야?"

"아니, 부러워서."

"그 영화의 끝은 관광 온 일본인 시인과 패터슨이 만나는 장면인데, 그 일본인이 빈 노트를 패터슨에게 주면서 텅 빈 것이 가장 큰 가능성을 준다고 말하는데, 좀 울림이 있지, 안 그래?"

"그렇긴 한데, 난 일본의 하이쿠가 주는 울림이나 선(禪)적인 텅 빈 것 등에 매료되면서도 다른 한편으로는 그 허무함은 견디기 힘들어. 내가 잘못 이해하는 것인지는 몰라도, 패배한 허무주의자들의 자기혐오를 벗어나기 위한 과장 혹은 위선처럼 느껴지기도 해."

"그렇지 그런 점도 있어. 나도 동의해. 난 네가 세상이나 사물 혹은 어떤 개념을 복합적이며 다층적으로 이해하고, 문학적으로 표현할 줄 아는 점에 가끔 놀라곤 해. 그게 너의 매력이기도 하고."

"왜 이러실까?"

그때 아귀찜과 맥주가 나왔다. 진경은 아귀찜을 먹으며 얼굴이 빨개졌고, 나는 땀을 흘렸다. 연신 땀을 닦는 나를 보며 희미하게 웃는 진경을 보면서, 참 너그러운 사람이라는 생각이 문득 들었다.

"진경아, 네가 가장 화날 때는 언제야? 난 네가 화내는 걸 본 적이 없는 것 같은데."

"나라고 왜 화가 안 나겠어? 하지만 난 화나는 일을 맞닥뜨리면 왜 이런 일이 나에게 일어났는지라는 생각을 먼저 하는 것 같아."

"그게 가능해?"

"글쎄, 자기방어 기제인가? 아니면 천성이 좀 멍청해서 그런가?"

"사람마다 타고난 성정이 다르니까, 넌 좀 특별한 성정이 있는 것 같아. 속은 훤하면서도 너그러운 데다 심지어 무슨 일을 당해도 왜 나에게 이런 일이 일어났는지 자문할 줄 아는 이상한 성정 말이야."

"칭찬이야? 멍청하다고 확인 사살하는 거야?"

내 말을 진경은 웃으며 농처럼 받았다. 그리고 우리는 다른 얘기를 좀 하다가 일어섰다. 밖으로 나와 다음을 어떻게 해야 할지 망설이는 나에게 진경은 "오늘은 그냥 들어가"라고 말해주었다. 우리는 지하철 입구에서 각자의 집을 향해 헤어졌다.

3.

진경과 나는 그 흔한 카톡조차 주고받지 않다가 설이 지난 후 나의 제안으로 같이 서해안에 있는 작은 섬에 가게 되었다. 성신여대 역에서 만나 4호선 종점인 오이도역에 내려 다시 택시를 타고 항구로 가서 배를 탔다. 30분 정도 걸리는 섬에는 민박집 한 곳과 열 채 남짓한 집이 있었다. 큰 체구에 붉은 피부가 대머리 앞쪽까지 이어진 민박집 남자는 열 채 중에도 사람이 사는 집은 두 채뿐이라고 말해줬다. 살고 있는 사람들 또한 죄다 꼬부랑 할머니들이라서 밖으로 잘 나오지도 않으니 없는 사람들로 쳐도 된다고, 그는 묘한 허탈한 표정으로 덧붙였다. 그날 민박 주인 내외는 볼일이 있다면서 마지막 배를 타고 나가버려 우리는 어느 큰 대양의 외딴섬에 와있는 기분으로 밤새 이야기를 했다. 아니, 진경의 이야기를 들었다.

진경을 포함한 우리는 1978년 무오년 말띠생이다. 외환
위기가 터진 1997년에 우리는 고3이었다. 난리가 났지만,
우리 앞에는 그보다 더 중요한 입시가 있었기에 덜 듣고
덜 보고 덜 느낄 수 있었다. 그 후유증은 약 4년을 끌었는
데, 그사이에 많은 회사가 무너지고 가정이 파괴되었다. 그
여파는 이십 년이 지난 지금까지 이어지고 있다. 진경이
대학 입학하던 날, 그의 아버지는 회사에서 쫓겨났다. 밤늦
게 들어온 아버지는 눈물을 참으며 걱정하지 말고 열심히
공부하라고 했다. 증권회사 부장이었던 진경의 아버지는
몇 달 후 현관에서 구두끈을 묶다가 뇌졸중으로 쓰러져 죽
고 말았다. 아버지는 재산을 남기기는커녕 주식 투자 실패
로 빚만 잔뜩 남겼고, 그 빚은 집을 팔아도 모자랄 지경이
었다. 진경의 어머니는 시장에 나가 무슨 일이든 닥치는
대로 했다. 연희동의 2층 단독주택을 헐값에 팔고, 홍제천
근처의 낡고 좁은 빌라 월세로 옮겼다. 4년 내내 진경은
백화점에서 아르바이트를 했다. 어렵게 진경이 졸업하고
남동생이 대학에 합격했을 때, 먼 친척으로부터 선이 들어
왔다. 신랑감은 재산이 많은 집의 외아들이며, 직업은 판사
라고 했다. 돈도 명예도 다 있으니, 배우고 참한 여자를 원
한다고 했다. 진경의 어머니는 강요하지는 않았지만, 남동
생 대학 입학금을 걱정하며 결혼하길 원했다. 학창 시절
진경은 동아리 모임에 매번 나오지는 못했다. 우리는 진경

이 보수적으로 엄격한 연희동 부잣집 딸이라서 잘 나오지 못한다고 막연히 생각했다. 진경은 항상 웃고 친절하며 아름다웠지만 한 발짝 더 다가서기는 쉽지 않은 사람이었다.

전형적인 문과 우등생처럼 생긴 김수근은 재산과 지위를 의식하는 사람은 아니었다. 진경과 처음 선본 날, "너무 미인이라 좀 걱정되지만 착해 보여서 괜찮다."고 중매인에게 말했다고 했다. 세 번째 만나던 날, 진경은 김수근의 합리적인 성품이 마음에 들었고, 동시에 그의 얼굴에 어린 어둠도 보았다. 그 어둠이 없었더라면 진경은 그와 결혼하지 않았을 수도 있었다. 그것이 궁금했고 그것을 치유해 주고 싶은 마음이 생겼다. 자신이 그 남자에게 해줄 게 있다는 것은 곧 자신이 팔려 가는 것만은 아니라는 명분을 주는 것이었다. 사법연수원을 막 끝낸 터라 군대에 가야 했기에 바로 성대한 결혼식을 치렀다. 시아버지는 없었고, 시어머니는 남대문 사채업자였다. 시어머니는 결혼식 전에 진경을 따로 불러서는 만기가 돌아온 1억 채권 3장을 주었다. 덕분에 진경의 집은 연희동 언덕의 아담한 빌라로 옮겨갈 수 있었고, 동생이 대학 다니는 것을 걱정하지 않을 수 있었다. 화교학교 맞은편 언덕에 위치한 파레스 빌라는 진경에게 '팰리스'처럼 느껴졌다.

진경은 우리에게 결혼하는 것을 알리지도 않고 어느 날 사라져 버렸다. 결혼식 후 진경 부부는 하와이로 여행을 갔다. 여유롭지만 치밀하게 짠 일정에 따라 둘은 풍광과 바다를 즐겼고, 맛있는 요리에 비싼 와인을 마셨다. 수근은 자신은 사법 시험 준비만 하느라 대학 생활을 잘 모른다고 하면서 주로 진경의 대학 생활에 관해 물었다. 진경은 자신 또한 학업과 아르바이트를 겸하느라 대학 생활은 잘 모른다면서 얼버무렸다. 우리 친구들과 동아리에 대해서는 말하지 않았다. 수근은 여행하는 동안 눈앞에 보이는 풍경이나 시설 등에 대해서만 말했고, 식사 전후로는 주로 음식과 와인에 대해서만 말했다. 잠자리에 들 시간이 되면 진경이 씻는 동안 남은 와인을 다 마시고는 항상 먼저 잠들었다. 그는 진경이 잠든 새벽에 일어나 체조를 하고 목욕을 하였다. 그래서 사박오일 동안 둘은 섹스를 하지 못했다. 마지막 날 진경이 와인을 많이 마시고는 수근에게 먼저 샤워하라고 하자, 그는 밤 산책을 나가자고 했다. 거절하는 것이 어려운 진경은 그를 따라 바닷가로 나섰다. 호텔을 나오자마자 진경이 팔짱을 끼자, 그는 어색해하며 말없이 걷기만 했다. 진경이 어색함을 깨기 위해 말을 걸었다.

"수근 씨, 어머니는 어떤 분이세요?"

"진경 씨가 본 그대로예요. 고전적인 아름다움을 여전히 지니고 있고, 좀 엄격해서 무섭기도 하고, 사업 수완에 밝고, 음 · · ·"

"아, 네. 저도 그렇게 봤어요. 특히 좀 무서워요."

"그렇죠. 하지만 겉으로만 그런 것인지도 몰라요."

"뭔가 비밀이 많으신 것 같기도 해요."

"네? 뭐라고요? 비밀이 많다뇨?"

수근이 벌컥 화를 내면서 팔짱 낀 팔을 뿌리쳤다. 당황한 진경은 걸음을 멈추고 그를 쳐다보았다. 수근의 얼굴은 잘못된 뭔가를 하다 들킨 아이가 자기 잘못을 무마하기 위해 떼를 쓰는 듯한 표정이었다. 진경은 미안한 표정으로 그를 달래듯 사정하는 투로 말했다.

"수근 씨. 나쁜 뜻으로 한 말은 아니에요."

"뭐가 비밀이라는 거예요?"

"내가 말하는 비밀은, 생각이 깊어서 함부로 생각을 드러내시지 않는다는 뜻이었어요. 절대 음흉하다거나 그런 뜻이 아니라."

"거봐요. 음흉하다고 생각하지 않았다면 왜 그 단어를 말하는 겁니까?"

"아니 그런 게 아니라, 정말, 아니에요."

수근은 성큼성큼 앞서 걷다가 건널목을 건너서는 다시 호텔 방향으로 걸어갔다. 진경은 뒤따라 갈까 하다가 혼자서 바닷가를 걸었다. 삼십 분 정도 산책을 한 진경이 호텔로 돌아오자, 수근은 이미 잠들어 있었다. 진경도 하는 수 없이 소파에서 잠을 청했다.

그때 진경은 우리 친구들 생각을 했고 특히 나를 많이 생각했다고 했다. 왜 내가 생각났냐고 했더니, 자신도 정확히 알 수는 없지만, 학교 다니는 동안 서로 많이 닮았다는 생각도 했고, 속으로 좋아했던 것 같다고도 말해줬다. 그래서 왜 전혀 내색하지 않았냐고 물으니, 그녀는 대답은 안 한 채 일어서며 밖으로 나가자고 했다. 파도가 세지는 않았지만, 소리는 컸고 밤하늘엔 반달이 희끄무레하게 떠 있었다. 건너편에는 화력 발전소 철탑에 달린 불빛이 오묘하게 반짝였다. 진경이 담배 있냐고 물으며 손가락 두 개를 벌리며 내 얼굴 앞에 내밀었다. 표정에는 장난기 어린 웃음이 가득했다. 내가 담배를 꺼내 건네자, 진경은 입에 물었고, 불을 붙이자 살짝 빨아서 불을 붙이더니 바로 내 입에다 물려주었다.

"이런 상황에서 네가 담배 피우는 거 보고 싶어."

"그래? 놀라운걸."

"뭐가?"

"네가 이런 행동을 하는 거 말이야."

"큰 의미는 두지 마. 너도 알잖아. 그냥 장난인 거."

"어떨 땐 장난에 더 큰 의미가 숨어있기도 하지."

"후훗. 그러게, 무슨 의미가 숨어있을까? 사랑이라기엔 너무 낡았고, 음, 상대를 알고 싶다는 생각이 간절할 때 무의식적으로 하는 행동, 이런 거?"

"우리 이제야 서로를 알아가는 거야?"

"그렇기도 하지, 안 그렇기도 하고."

"하나 물어보자."

"뭐?"

"너 같은 여자가 유부남인 나를 이렇게 대하는 거, 나 좀 과분하거든. 왜 그러지? 그냥 외로워서 편하게 만나는 사람이 필요한 거야?"

"너, 참 말할 줄 모른다. 꼭 수사관처럼 말하고 있어. 게다가 내용은 좀 지저분한데. 외로워서 편하게 만나는 사람? 이 말을 줄이면 뭐가 되는 줄 알아?"

"뭐?"

"순간적 감정이나 정서적 필요는 싹 지워버리고 뼈만 추린 단어. 바로 엔조이."

"풋, 엔조이라고 말하니 우리가 제법 노숙한 사람처럼 느껴지네."

"그러니까! 말을 왜 그렇게 해?"

"그럼 어떻게 말해야 되는 거니?"

"음, 너에게 난 선물이 되고 싶어. 열심히 사느라 지쳤지만 그래도 기특하게도 죽지 않고 살아가는 우리 강비택에게 선물이 되고 싶어. 단지 그뿐이야."

"선물? 그 참 오묘한 표현일세."

"선물은 받으면 참 좋잖아. 하지만 보통 시간이 지나면 그 기쁨은 시큰둥해지지. 가끔은 영원히 간직하고 싶은 선물도 있지만. 여하간 어떤 선물일지 알 수는 없지만, 선물이 되고 싶어."

"나도 너에게 선물이 될 수 있을까?"

"호호호. 응. 당연히 선물이지. 평소엔 필요 없지만, 어쩌다가 아주 긴요하게 쓰이는 손전등 같은 선물. 물론, 이미 누군가가 쓴 거지만 여전히 간직할 만한 거지. 공구함 구석에 얌전히 앉아 있으니 더욱 좋고."

다시 말하지만, 그날 섬은 무인도 같았다. 그 조그만 섬은 마치 열대 우림처럼 막막했고 모든 사연을 집어삼키고는 냉랭하게 떠 있었다. 진경은 자신의 과거를 얘기하다 말고 바닷가 산책을 제안했고, 평소에 하지 않던 행동과 말을 했다. 그러나 나는 더 듣고 싶었다. 그날이 아니면 영원히 들을 수 없었을 것 같았다. 진경이 어떻게 살고 있는지, 경제적으로는 살만하지, 그가 꿈꾸는 미래는 어떤 모습인지 모든 것이 궁금했다. 동시에 나는, 진경이란 인물을 이제야 알고 싶어 하는 나 자신에게 놀라기도 했다.

4.

진경이 신혼여행에서 돌아온 날, 연희동 엄마 집을 방문한 둘은 선물을 풀어놓고 저녁을 대충 먹고는 서둘러 수근 어머니의 집으로 향하였다. 둘이 들어서자, 수근 어머니는 말로는 반갑게 대했지만, 눈빛은 불안정했다. 진경이 여행 가방을 방으로 옮길 때 수근은 화장실로 뛰다시피 갔고, 시어머니는 부엌으로 들어갔다. 그래서 진경은 짐을 혼자서 옮겨야 했다. 진경이 짐을 대충 풀어놓고는 내려오자, 둘은 소파에 앉아 차를 마시며 얘기를 하다가 내려오는 인기척에 말을 멈추었다. 시어머니는 진경이 소파에 앉자 너그러운 웃음을 띠며 말했다.

"그래 하와이는 잘 있고? 거기 가본 지 나도 꽤 됐네. 어땠어?"

"어머니 추천으로 갔지만, 정말 잘 왔다고 생각했어요. 모든 게 다 좋았어요. 경치도, 사람들도, 음식도, 바다도."

"그렇지. 한국 제주도와는 또 다르지."

수근과 시어머니는 함께 하와이를 비롯한 해외 여행지에 관한 얘기를 한참 주고받았다. 고등학교 수학여행 이후 처음으로 해외 비행기를 타본 진경은 자신이 투명 인간 같다는 느낌을 받았다. 그러기를 20분 정도 하던 시어머니가 목이 마른 듯 차를 홀짝 들이키더니 화제를 돌렸다.

"수근아 넌 언제부터 출근하니?"

"원래 다음 주 월요일부터 나가면 되지만 닥친 재판 서류도 읽어야 하고, 모레 일요일부터 나가려고요."

"그래야지. 젊었을 땐 이백 프로 일해야 해. 요즘 애들 워라밸 워라밸 하던데 그거 다 못난 놈들이 악수 두는 거야. 세상에 워라밸이 어딨어? 동서고금을 막론하고 워라밸 한 사람치곤 잘된 사람 난 못 봤다. 왕도 그렇게 못해. 세종대왕 봐. 얼마나 일에 치여 살았어? 그러니까 세종대왕인 거지. 그래, 얼른 올라가라. 밤에 커피 다 마실 것 없다. 아기야, 내가 치울 테니 올라가 괜찮아."

진경이 찻잔을 부엌으로 가져가 설거지를 한 후 2층으로
올라가니 수근은 샤워를 하고 있었다. 문 앞에서 노크하려고
손을 들었다가 진경은 돌아서서 방으로 들어가서 방에 딸린
작은 화장실로 들어갔다. 진경은 거울에 비친 낯선 얼굴과 분
위기의 자신을 한참 바라보다 옷을 벗었다. 오늘 밤에는 꼭
'비밀'이라는 단어에 왜 그렇게 화를 냈는지 물어보고 싶었다.
수근은 욕조에 몸을 담그고 지그시 눈을 감았다. 골똘한 생각
을 하는지 감은 눈꺼풀 밖으로 눈동자가 움직이고 있었다. 다
시 눈을 뜬 수근은 욕실 문을 살그머니 열고는 밖의 기척을
살피고는 다시 욕조로 들어가서는 자위를 했다. 화장실에서
샤워한 진경은 잠옷으로 갈아입고 침대에 누워 뒤척이며 수근
을 기다렸다. 기다리던 진경이 깜빡 잠이 들었다가 소리에 눈
을 떠니 수근이 힐끗 보고는 던지듯 말했다.

　"내일 필드 나가야 하는데, 오랫동안 공을 못 쳐서 좀
치다가 올게요. 먼저 자요."

　"이 시간에 하는 데가 있어요?"

　"그럼요. 심야 스크린 골프장도 있어요. 먼저 자요."

　수근이 나간 후 진경은 자리에서 일어나서 커튼을 열고 수
근의 차가 차고에서 빠져나가는 것을 보았다. 차가 사라진 후
에도 진경은 멀리 보이는 도시의 불빛과 정원의 나무를 보았
다. 그러기를 한참, 진경의 눈에는 눈물이 번졌다. 진경도 왜
슬픈지 알 수가 없었다. 모든 것이 잘 해결되었고, 이제 새로

운 삶을 시작하는 것이라고 수없이 자신에게 말했던 다른 자신이 우는 것이라고 느꼈다. 그 눈물은, 선을 본 후 결혼식을 치르고 신혼여행을 갔다 오는 동안 꾹꾹 눌러놓은 것이었고, 시어머니의 알 수 없는 경계심과 남편의 수상한 적대감이 기폭제가 되어 터져 나온 것이었다. 이후 진경은 다행히 일 년 정도만 눈물을 흘렸다. 가족 간의 비밀은 한쪽이 집요한 관심을 갖는 이상 끝까지 덮어둘 수 없는 것이기 때문이다.

수근의 아버지가 죽은 것은 그가 여덟 살 때였다. 진경의 시어머니는 남편이 남긴 돈을 불리기 위해 당시에는 이율이 높은 정기 예금에 들었다가 차츰 부동산과 증권과 채권으로 옮겨갔다. 운도 따랐지만, 재리에 밝았기에 몇 년 지나지 않아 큰돈을 모을 수 있었다. 이후 그녀는 달러 환전과 사채업으로 사업을 확장하여 서울에서 몇 손가락 안에 드는 사채업자가 될 수 있었다. 수근은 그녀의 바람대로 엄마의 말에 순종하였고, 서울 법대에 갈 정도로 공부도 잘했다. 하지만 그녀의 지나친 지배욕이 문제였다. 수근이 고3 때 그 일은 처음 일어났다. 수근이 여학생에게 관심을 가지면서 성적이 표나게 떨어진 적이 있었는데, 그녀는 수근의 성욕을 적극적으로 해결해주기로 마음을 먹고는 해서는 안 될 일을 하고야 말았다. 엄마의 손으로 자위를 해 준 것이었다. 자주는 아니었지만, 이 행위는 수근이 사법고시에 합격할 때까지 계속되었다. 이런 일을 겪으면서 진경의 시어머니는 죄책감을, 수근은 여성에 대한 복잡한 감정을 가지게 되었다. 여성에 대해, 순종해야 하는 자신의 어머니 같은 절대적 존재로 느끼는 동시에 두려움을 느꼈다. 그러면서 다른 한편으로는 자신이 마음대로 할 수 있는 약한 존재를 갈망하는 유아성애자로 변하기 시작하였다.

수근이 신혼여행지에서 '비밀'이라는 단어에 그토록 적대적 반응을 보인 것 역시 그런 이유 때문이었다. 수근은 진경과 어떻게 섹스를 해야 하는지도 모를 뿐 아니라 그것은 어머니에게 죄를 짓는 것이라고까지 생각했다. 신혼여행을 돌아왔을 때 본 시어머니의 불안정한 눈빛도 이해되었고, 수근이 밤에 골프 연습하러 나간 것도 그제야 다 이해가 되었다. 섹스하지 않는 부부로 산 지 육 개월째 되던 어느 날, 진경은 작정하고 그를 자극하였다. 여러 군데에서 정보를 습득한 후 과감하게 육체적 유혹을 시도하였다. 하지만 수근은 발기하는 듯하다가 이내 사그라들었다. 그날 이후 그러기를 세 차례 반복한 날, 결국 수근은 모든 것을 털어놓았다. 그 말을 들은 진경은 그 집을 떠나기로 작정하고 조금씩 짐을 꾸리기 시작했다. 조금씩 짐을 꾸린 것은 어떻게 이 엄청난 일을 마무리 지을지 완전한 결정을 하지 못했기 때문이었다. 그렇게 또 육 개월이 지날 무렵 일은 저절로 해결되었다. 수근이 원조교제를 하다가 걸린 덕분이었다. 시어머니는 모든 것을 동원하여 그가 판사를 계속할 수 있도록 무마하였는데, 수근은 무릎을 꿇고 사죄하기는커녕 그 일을 기회로 집을 나가버렸다. 시어머니는 대로 했지만 그를 다시 집으로 끌고 올 수는 없었다. 그래서 진경은 졸지에 시어머니와만 사이좋게 6개월을 살다가 이혼했다. 시어머니가 큰돈을 주겠다고 했지만, 진경은 결혼하면서 받은 돈으로 충분하다면서 거절하였다.

시집에서 나온 진경은 친정에는 그간 있었던 일을 알리지 않은 채, 일 년 동안 역삼동에 방을 얻어 혼자 살았다. 할 일이 없어서 무작정 영어 학원에 등록했고, 거기서 강사로 있던 고등학교 선배 언니와 친해졌다. 그 언니는 화려한 외모와 뛰어난 언변으로 회화 학원에서 꽤 인기가 있었는데, 대기업 중역들의 영어 과외도 하고 있었다. 그러다가 그 선배는 한 임원이 알선한 고급 룸살롱에 나가기 시작하였고, 진경을 만날 무렵에는 막 학원을 그만두려고 하던 참이었다. 승훈이 진경을 룸살롱에 만난 것은 진경이 나가던 룸살롱을 그만둘 무렵이었다.

"아, 승훈이가 저번에 얘기했어. 너랑 거기서 만났다고."

"그랬구나. 나쁜 자식, 말하지 않기로 해놓고선."

"너도 해명은커녕 지금까지 아예 없었던 일처럼 한다던데."

"그건 그래. 설명을 어디서부터 어디까지 해야 하는지 모르겠고, 사실 나 거기 나갔던 것을 잊은 것 같아. 아니

무의식적으로 잊으려고 해서 그런지도 몰라. 정말 기억이 잘 안 나. 매일 반복된 출근과 술 시중밖에 기억나지 않아. 너 혹시 내가 거기서 몸 팔았다고 생각하는 건 아니지?"

"그건 모르지. 그게 그리 중요한 것도 아닌 것 같고."

"그래, 중요한 것 아니지. 그래도···"

"그래도 진경 네가 어떻게 그런 곳에 나갈 용기를 냈는지 …."

"궁금해? 이판사판 그런 것은 아니었고, 아버지 돌아가신 후 4년 동안 엄마의 고생을 보고 자란 나는 나대로 절대 빈곤 속에서 살아가면서 지쳤거든. 게다가 동생이 대학 입학했잖아. 당시 취직도 잘 안되던 시기였지만, 그때 덜컥 선이 들어오니 나도 마음이 움직인 거야. 좀 편안히 쉬고 싶더라고. 그런데 상상해 본 적도 없는 모자 관계의 집에 내가 들어간 거야. 그때 내가 뭘 느꼈냐 하면, 인생이란 아무것도 아니구나, 새옹지마라는 말로도 설명이 부족한, 엄청난 우주 속에 촘촘히 인과관계로 맺힌 무엇인가 있다고 생각했어. 이후 그 선배 언니를 우연히 만났고, 그 언니는 룸살롱 일을 제안했고, 난 뭔가 운명이라는 느낌을 받았어. 아무것도 아닌 인생에서 주어진 운명이라고 생각하니 어떤 것도 중요하다고 여겨지지 않고, 심지어 모든 게 가소로워 보이더라고. 그래서 술에 취한 손님 대하는 것도 그리 힘들지 않았고, 내 손님들은 그런 대로 괜찮았어. 선을 넘으면 나름대로 처신했고."

"근데 승훈이에게 왜 해명 비슷한 것을 하지 않았어? 둘 다 해명이 필요했을 텐데."

"그러게 말이야. 시간이 너무 지나버린 거지. 승훈이가 그런 곳에 올 때는 이해할 만한 이유가 있었던 거고, 승훈이도 나를 그렇게 생각할 거로 생각했어."

"음, 그건 그래. 그렇긴 하지. 그만둘 때는 무슨 일이 있었던 거야?"

"응. 무슨 일이 있었어."

진경이 롬살롱에 근무한 지 1년이 지났을 무렵, 시어머니의 호출이 왔다. 진경은 그때 명동 시어머니 건물 꼭대기 층에 있는 사무실을 처음으로 방문하였다. 서로가 힘들고 민망한 일을 겪으며 헤어진 터라 어색한 데도 시어머니는 예전에 보지 못했던 은근한 미소를 띠며 자리에서 일어나 진경을 맞았다. 그녀는 진경의 손을 잡고 등을 두드리며 자리를 권했다. 예순일곱 살인 그녀는 일 년 만에 부쩍 늙어 보였다. 간단하면서도 의례적인 안부 인사를 교환한 후, 그녀는 아들이 외국으로 가버렸다고 말했다. 놀랄 틈도 주지 않고 그녀는 마음을 완전히 정리한 듯한 투로 말을 이었다. 어렵게 봉합한 판사 자리도 내팽개치고 상속을 끝낸 재산 일부를 정리한 후 편지 한 장 달랑 남겨두고 떠났다는 것이었다. 진경은 아, 라는 탄

식 외에는 아무 말도 하지 못하고 듣고만 있었다. 놀라운 일은 그뿐만이 아니었다. 그녀는 담담하게 자신이 알츠하이머병에 걸렸다고 했다. 초기 증세이긴 하지만 사업을 더 할 수 없을 것 같다면서 이미 용인에 있는 개인 간병인까지 두는 고급 요양원 입원 계약을 했다고 했다. 그러면서 진경에게 한 달에 한 번씩 자신을 방문해주고, 아들로부터 연락이 오면 어떻게든 자신과 만날 수 있게 해달라고 부탁했다. 그러고는 명동의 현재 건물을 진경에게 넘길 테니, 변호사가 요구하는 절차를 잘 따라 달라고 덧붙였다. 이후 진경은 전 시어머니와의 약속을 어기지 않고 이십 년 가까운 기간 동안 이 주에 한 번씩 방문하고 있다고 했다.

"그럼, 지금 다닌다는 명동의 부동산 회사가 있는 건물이 네 거란 말이야?"

"그런 셈이지. 근데 난 아직도 실감이 안 나. 그냥 임시로 내가 맡아 있다는 생각이 들 뿐이야. 임대료로 들어온 돈이 얼마인지 난 보지도 않아. 어차피 언젠가 전남편이 돌아올 테고 그때 그이에게 줘야지."

"왜?"

"수근 씨, 불쌍하잖아."

"뭐가 불쌍해?"

"꼭 설명을 해야 해? 하여튼 그 사람 거라고 난 생각해."

“그럼, 동생이 대표로 있는 부동산 회사도 사실상 네가 대표네?”

　“동생은 잘 몰라. 그냥 내가 그 건물 관리를 위탁받았다고 생각하고 있고. 걔가 그런대로 건물 관리를 잘하고 다른 부동산 매매나 임대도 곧잘 해내니까 그냥 유지되고 있는 거야.”

5.

구름이 몰려와서 이젠 별은 물론 달도 잘 보이지 않았다. 민박집 방의 창문을 여니 찬 바람이 몰려들었다. 진경이 겪은 일이 희귀한 사건이기는 하지만, 나로서는 진경과 지금 방금 진경 입으로 나온 이야기가 같이 엮이지 않았다. 그 비현실적인 느낌만큼이나 의자에 허리를 꼿꼿하게 세운 채 말하는 진경의 모습 또한 비현실적으로 느껴졌다. 말을 마친 진경은 일어나더니 냉장고 문을 열고는 막걸리를 꺼내서는 잔에 따른 후 다시 레드와인을 조금 따랐다. 붉은 와인이 짙은 흰색의 막걸리로 스며들면서 무늬를 만들었다. 그것을 보면서 내가 막걸리이고 진경은 와인 같다는 생각을 했다. 둘은 그것을 나눠 마시고 상필, 수경, 승훈이에 대해 말했다. 말을 마친 후 우리는 한 사람씩 한마디로 정의를 내려 보자고 했다. 진경이 먼저 ‘상필이는 항상 초록 등이 깜빡이는 건널목 위를 바삐 건너는 사람’이라고 했고, 나는 동의했다. 나는 ‘수경이를 털

스웨터의 보풀을 언제나 뜯고 있는 사람'이라고 하자, 진경이는 거기에 '강박적으로' 혹은 '하염없이 신경질적으로'라는 말이 추가되어야 할 것 같다고 부언하였다. 이어서 내가 '승훈이를 무거운 짐 진 자'라고 하자, 진경이는 '무거운 비밀에 붙들린'이 어떠냐고 말했다. 그런 말들을 마친 후 진경은 창밖으로 고개를 내밀고 몇 초 있다가 고개를 넣고는 창을 닫고는 화장실로 들어갔다. 나는 자리에서 일어나 민박집 마당으로 나가서는 담배를 물었다. 갑자기 아이 생각이 났다. 아내는 천안으로 가서는 한 달에 두 번 정도 집에 왔고, 그때 아이의 기숙사를 방문하곤 했다. 참 지혜롭고 따뜻하며 무탈하게 자라준 아들이 고마우면서도 앞으로 그 착한 애가 험한 세상을 살아갈 생각을 하니 가슴 한구석이 아렸다. 밤하늘을 그냥 쳐다보면서 나는 "섬에는 아무도 없다"라고 소리를 내며 말하고는 들어왔다.

　씻은 후 소파에 누운 진경을 일으켜 안아 침대로 데려갔다. 깊은 키스를 하면서도 나는 이 깊은 웅덩이 같은 여인의 심연에는 도달할 수 없을 것 같은 느낌이 들었다. 진경은 내가 하자는 대로 몸을 맡겼지만, 자꾸만 나를 밀어내고 있었다. 그것은 더 큰 포옹이기도 했다. 육체적 감각의 흥분과는 별개로 나만의 복잡한 생각은 그리 오래가지 못했다. 외딴섬 민박집의 두 남녀 사이에서 일어날 수 있는 일이 일어나지 않은 것이 아니었다. 진경은 가끔 친구들로부터 푼수라고 놀림을 당하기도 하지만 사실은 속이 훤한 사람이었다. 내 처지를 대충 알고 있는 그는 나를 시시각각 품어주거나 밀어내면서 내 곁을 지켜줬다. 그는 나를 배타적으로 차지할 아무런 욕망도 지니지 않았지만, 나는 그를 배타적으로 차지하고 싶었다. 그 욕망의 어긋남은 자칫 분쟁으로 이어질 수 있지만, 그 또한 진경의 너그러움과 조심성에 의해 봉합되고 있었다.

다음 날, 11시 무렵 배가 들어왔다. 민박집 주인 내외는 물론 아무도 내리는 사람이 없었다. 배는 물살을 가르며 나아갔고, 한동안 우리는 선상 벤치에 앉아서 저 멀리 보이는 섬들을 하염없이 보았다. 배의 아래층에서 맥주와 오징어를 사서 오는 나를 보고 진경은 웃어줬다. 맥주 캔을 권하니 진경은 캔을 따서는 고개를 저으며 나에게 주었다. 목젖을 타고 내려간 맥주는 위점막을 톡톡 건드리고는 아래로 흘렀다. 한 캔을 다 마시고 나니 이제 내장들은 무감각해졌고, 힘이 돌아온 듯했다.

"진경, 어떡하면 좋을까?"

"뭘?"

"우리 관계 말이야. 나 사실 지금 이혼해도 되거든. 아내는 말만 하지 않을 뿐 이혼하길 바라는 눈치고."

"그러지 말아, 비택아. 난 지금 이대로가 좋아."

"그렇지? 나도 사실 새로운 법률적 혼인 관계 자신 없어."

"그것도 그렇지만. 난 내가 보살펴야 할 사람이 많잖아. 시어머니는 지금 치매가 많이 심해졌어. 내가 안 가면 그 노인네 폐기물 되는 건 시간 문제야. 나라도 가니까 병원에서 관리하는 척이라도 하지."

"그 짐을 왜 네가 져야 해? 돈도 있겠다. 변호사 불러서 법적으로 안전장치를 만들면 되잖아?"

그 말에 진경은 미간을 찌푸리며 한심하다는 눈으로 나를 보면서 말을 이었다.

"그래도 사람이 가야지. 아무리 몰라본다고 하더라도 기운이 전달되는 거잖아. 가끔 정신이 돌아와서 나를 알아볼 때 그 노인네 얼마나 행복한 표정이 된다고."

"그래, 그건 그렇겠다. 답답해서 하는 말이잖아."

"게다가 우리 엄마도 보살펴야 하고, 남동생도 여전히 불안하고, 조카도 셋이나 있고."

"야, 진경아. 너도 이제 늙어가고 있어. 너도 생각해야지. 좀 이기적으로 말이야."

"나 충분히 이기적이야, 이 바보야. 게다가 니들도 있잖아. 니네들 내가 지켜줘야 하잖아."

진경은 마지막 말을 힘주어 말하면서 눈물을 비쳤다. 잠시 말을 끊었다가 진경은 다시 말을 이었다.

"난, 아무 것도 안 했잖아? 니네들이 그렇게 아파하며 세상에 부대낄 때, 난 아무 것도 못했잖아. 그래서 나라도 니들을 …. 후유, 말을 말자."

　진경은 분위기가 심각해질 것을 염려했는지 웃으며 말을 거두었다. 뭐라고 말을 해야 한다고 생각하면서도 아무 말도 생각나지 않았다. 진경은 일어서서 배의 후미로 가서 물살을 바라보았다. 나는 폰의 카메라 앱을 켜서 진경을 찍었다. 진경의 옆모습은 성당에서 본 천사 미카엘 같았다. 배가 항구에 닿자, 갈매기가 몰려왔고 나는 진경의 손을 잡고 배에서 내렸다. 그러고는 택시를 타고 오미도 역에 내릴 때까지 한순간도 손을 놓지 않았다. 하지만 4호선 전철을 타고 충무로역을 지날 때까지 우리는 번갈아 잠을 잤고, 의도적으로 말을 피했다. 너무 많은 말을 하기도 했지만, 자칫 다른 화제의 대화로 간밤의 대화가 지닌 진정성이 사라지는 것을 염려했던 것 같다. 충무로역을 지나자, 진경은 눈을 뜨고는 나를 봤다. 우리는 잠시 눈을 마주치고는 말없이 몇 개의 역을 지났다. 우리는 각자 어떤 생각에 빠졌다가 혜화역에 도착한다는 안내 방송을 듣고는 정신을 차렸다. 그러고는 성신여대 역이 가까워져 오자 나는 진경을 빤히 보면서 순간 나도 모르게 말했다.

　"진경아, 너, 날개는 언제 잃어버렸니?"

　"뭐? 날개?"

　"아까 뱃전에서 네가 천사 미카엘처럼 보였거든."

　"풋."

　진경은 웃으며 대꾸하지 않았다. 나는 재차 물었다.

"언제 잃어버린 거니?"

"농담을 아주 진지한 표정으로 하네. 그럼 나도 농담으로 받는다면, 아마 상필이 갔을 때 잃어버린 것 같아."

그러고는 진경은 내 어깨를 툭 치면서 일어섰다. 나는 진경의 손을 살짝 잡으며 조용히 말했다.

"내가 그 날개 찾아줄게."

"아냐, 찾거든 너 가져. 선물이야."

진경은 전철에서 내려서는 그대로 계단으로 올라갔다. 전철이 출발할 때 나는 그의 뒷모습을 보려고 고개를 돌렸다. 진경이 계단을 올라가는 모습이 기울어진 각도로 보였는데, 가방이 마치 날개가 떨어진 자국처럼 보였고 후광이 잠시 일었다. 전철이 속도를 내자, 나는 재차 고개를 반대 방향으로 진경을 다시 보았는데 이제 후광은 보이지 않았다.

수레바퀴 아래 비택

1.

나, 강비택과 친구들은 1978년 말띠생이다. 마흔다섯, 세상을 안다면 아는 나이이고, 노인들 기준으로는 아직 어린애라면 어린애다. 2022년 11월, 윤상필이 죽은 후 최수경, 김승훈, 차진경 그리고 나는 새로운 삶을 맞은 것 같았다. 많은 할 얘기가 있지만, 이 이야기를 끝내기 위해서라도 친구들과의 관계를 떠난 강비택이라는 나 자신에 대해 말하고 싶다. 아버지는 날 비(飛)에 뻐꾸기 택(鸅)이라는 괴상한 이름을 주었다. 다른 새의 둥지에서 태어난 뻐꾸기 새끼는 그 어미만큼 고약하여 다른 알을 떨어트리곤 하는 놈이다. 아버지는 내가 철저하게 이기적으로 살기 바랐거나, 내 사주를 보고는 어차피 그렇게 살지 못할 것이라 판단하고는 냉소적 혹은 방어적 차원에서 그렇게 이름을 지었을 것이다. 내 사주팔자의 일간은 정묘 (丁卯)인데, 반듯한 외모에 예민하며 상처받기를 즐기는 타입이다. 일간 주변에는 항상 무엇인가를 닦으며 조심스럽게 살아가는 요소 세 개와 독하게 톡 쏘는 요소 한 개도 있다. 내가 애쓰지 않더라도 여자가 끊이지 않았던 것은 아마 정묘라는 일간이 지닌 묘한 특징 때문일 것이다. 아무튼 나 자신을 위해 나를 설명하기 위해서는, 세상이라는 두려운 수레바퀴 아래에서 간신히 살아가는 나와 나의 여자들에 대해 말하는 수밖엔 없다. 누군가가 결코 나를 이해해 주길 바라지 않는다. 이해할 수도 없을 것이다. 더 나아가 다른 이들이 자신과의 관계만을 토대로 나를 이해해서도 안된다고 생각한다. 그것은 나의 일부분에 불과하기 때문이다.

대학 입학 무렵, 사람마다 지닌 고통과 상처를 존중해야 한다고 강조했던 아버지는 대학 4학년 때 가출해 버렸다. 아마 어디 외딴 암자나 바닷가 오막살이 집으로 들어갔을 것이다. 어쩌면 잠적을 감추다 못해 큰 바위 위에서 실족인 척 떨어졌거나 캄캄한 밤에 밀물 속으로 걸어 들어갔을지 모른다. 그렇다면 깊은 산속 길이 끊긴 곳에 방치된 뼈로 썩고 있거나, 자신의 살을 물고기에게 주고 심해의 하얀 뼈로만 얌전히 가라앉아 있을 것이다. 아버지가 가출한 후 나는 대학 졸업을 하고 첫 직장을 얻었다. 평생 소설과 시를 읽으며 살았던 어머니는, 그만큼 아버지의 독특한 성정과 그의 여자들에 시달렸다. 어머니의 문학 탐독은 어쩌면 탈출구였던 지도 모른다. 여하튼 어머니는, 아버지가 가출한 지 15년째 되던 해, 소파에 누워 펼쳐진 시집을 안고는 참으로 평온한 표정으로 심장이 정지되었다. 문고판으로 새로 발간된 『정지용 시집』 중 「호수 1」이라는 시를 읽다가 잠 혹은 생각에 잠겼다가 저승으로 가버렸다.

얼굴 하나야
손바닥 둘로
폭 가리지만,

보고픈 마음
호수만 하니
눈 감을 밖에.

아버지에 대한 애증으로 가득했던 어머니였지만, 말년에 이르러서는 아버지를 그리워했는지도 모르겠다. 문득 아버지가 호수 크기만큼이나 보고 싶어서 어머니는 스스로 눈을 감았을지도 모른다는 생각이 들었다.

2.
이제는 다른 남자와의 동반적 삶을 생각하는 듯한 아내는 첫 직장에서 만났다. 프랑스 유통업체인 코리아 C라는 회사에서 근무할 당시 만났다. 나는 수입 관련 부서였고, 아내는 일본 식품 유통회사 직원이었다. 아내를 만나기 전 세 명의 여자 친구가 있었는데, 그녀들과는 길어야 일 년 남짓 사귀었다. 꼭 비밀로 하려고 했던 것은 아니었지만, 네 명의 친구들은 그 사실을 몰랐다. 영원한 관계라는 확신이 없다면 알리지 않으려는 심리도 작용했던 듯하고, 나의 여자에 대해 다른 사람들이 말하는 것이 싫었기 때문이기도 했다. 그 세 명의 여자들이 나에게 절실하지 않았던 것은, 유치하지만, 첫사랑을 못 잊고 있었기 때문이었다. 하필이면 고3 늦은 봄에 일방적인 짝사랑이 끝난 것이 확인되어 몇 달을 방황하였다. 그 결과 내가 원하는 대학의 학과에는 가지 못하고, 무작정 경제학과에 진학하였다. 회계 과목이 꽤 힘들었지만, 남들이 보기에 나는 건조한 성품의 전형적인 경제학도였을 것이다. 하지만 내 내면에는 시와 소설이 아우성을 치고 있었고, 그 속에는 언제나 첫사랑도 함께 있었다. 그 첫사랑은 나보다 나이는 한 살 많고 키는 일 센티가 더 컸다. 이목구비가 또렷하고 서늘한 웃음과 날카로운 슬픔을 동시에 지닌 눈, 하얀 얼굴과 긴 목, 그리고 그보다 더 긴 늘씬한 몸매를 지닌 여성이었다. 아주 가난한 집안의 막내딸이었던 그녀는 대학 진학을 포기하고 호텔에 취직하였다.

대학 들어와서 사귄 세 명의 여자 중 한 명은 1학년 때 연극반에서 만난 형이상학적 고뇌에 빠진 나르시시스트였는데, 밥 먹고 차 마시고 예술가의 삶에 대한 얘기만 하다가 8개월 만에 헤어졌다. 두 번째 여자는 사회과학연구회 동아리 일 년 후배였다. 애매한 관계로 몰래 만나다 군 복무 기간 중 연애를 하였고, 제대하기 두 달 전 그녀는 졸업과 동시에 이별을 통보하였다. 세 번째 여자는 복학 후 취업 준비를 하던 도서관에서 만났다. 국문학과를 다녔던 그녀의 열람석에는 언제나 문학 책이 있었다. 열람실 창가 구석 자리에 마치 지정석처럼 우리는 마주 보고 공부하다가 어느 봄날 목련 꽃잎이 한가득 쌓인 도서관 옆 흡연 구역 벤치에서 처음으로 인사를 나눴다. 나는 그녀가 책상 위에 올려둔 가브리엘 가르시아 마르케스의 소설 「콜레라 시대의 사랑」에 관해 물었고, 그녀는 웃으면서 과제를 하기 위해 빌린 것인데 잘 모른다고 답했다. 그날 우리는 같이 소주를 마셨고, 그녀의 방에서 같이 잤다. 우리 둘 사이에는 사랑이나 인간적 교감보다는 절박한 동지애 같은 것이 있었던 것 같다. 졸업할 때까지 밤늦게 공부하다 지쳐서 누가 먼저 흡연 구역으로 나갔을 때 따라 나오면 같이 담배를 피고는 가방을 챙겨서 그녀의 방으로 갔다. 단지 라면과 소주를 먹고 섹스를 하고는 헤어졌을 뿐이었다. 우리는 일상적인 대화 외에는 하지 않았으며, 서로의 전화번호를 교환했지만, 따로 연락하지도 않았다. 졸업 학기가 끝날 무렵, 우리는 점심을 같이 먹었다. 처음으로 한 약속이었다. 짜장면을 먹으며 그녀는 지방 국립대의 로스쿨에 최종 합격했다고 건조하게 말했고, 나는 축하해 주었다. 그걸로 끝이었다.

  입사 시험을 치고 원서를 몇 군데 넣은 후 나는 소설만 게걸스럽게 읽었다. 유명한 베스트셀러 소설은 모두 빌려서 읽어치웠지만, 갈증은 해소되지 않았다. 미국에서 여전히 가장 많이 읽힌다는 소설 피츠제럴드의 「위대한 개츠비」, 제롬 데이비드 샐린저의 「호밀밭의 파수꾼」은 실망스러웠고, 한국 현대 유명 작가들의 소설들에는 별로 감흥을 못 느꼈다. 그래서 오래전 읽었던 도스토에프스키의 「카르마조프의 형제들」, 허먼 멜빌의 「모비딕」, 찰스 디킨스의 「데이비드 코퍼필드」, 다니자키 준이치로의 「치인의 사랑」을 읽으니 복잡한 마음이 가라앉으며 진정이 되는 듯했다. 소설을 읽으면서 나는 비로소 복학 후 4학년 일 년 입사 준비를 하는 동안 마약을 한 것 같은 묘한 하이 상태였다는 것을 깨닫게 되었다. 이후 마지막으로 읽은 책은 16세기 작가 프랑수아 라블레가 쓴 「가르강튀아 / 팡타그뤼엘」이었다. 이 소설을 읽는 것을 끝으로 비로소 모든 해명할 수 없는 내면의 갈증은 해결된 듯하였다. 이 소설을 다 읽은 날 오후에 코리아 C로부터 합격 통지를 받았다. 어머니는 죽는 순간 가슴에 정지용의 시집을 두었고, 머리맡에는 이 소설을 두었다. 해학과 풍자 그리고 외설로 가득한 이 소설을 어머니가 마지막 순간에 읽은 것은 아마 현실적 삶과 아버지라는 애증체로부터 벗어나길 갈망했기 때문이었을 것이다. 그렇게 나의 이중적인 청춘은 막을 내렸다. 첫사랑도 하얗게 사라졌다.

3.

어머니의 유해를 강릉의 절에 모신 후 이틀 동안 나는 강릉 집에 머물렀다. 어머니의 짐을 처분하는 것은 그리 어렵지 않았다. 기부할 것은 기부하고 나머지는 업체에 의뢰하니 반나절 만에 모든 것이 정리되었다. 아버지는 옷 몇 벌과 열 권도 되지 않는 책 외에는 아무런 흔적도 남기지 않았다. 그 많던 장서는 물론 낚시와 등산 도구 그리고 상패니, 기념패니 하는 것들도 모두 없어진 상태였다. 고등학교까지 썼던 내 방의 물건들도 졸업 앨범 등 기념될 만한 것을 빼고는 다 버렸다. 책 몇 권은 서울로 가져가려고 상자에 담았는데 그중에는 이효석의 「메밀꽃 필 무렵」이 담긴 단편집도 있었다. 강원도 평창 출신인 이효석이 봉평 장을 무대로 쓴 이 소설을 읽은 것은 중학교 2학년 때였다. 그 소설을 읽은 날 밤에 문득 누구도 가르쳐주지 않은 행동을 하였다. 첫 수음에서 아찔하고 놀라운 쾌감에 놀랐고, 이후로는 죄의식에 시달렸다. 수음한 다음 날은 어머니를 제대로 쳐다보기가 어려웠다.

이효석의 소설과 함께 어머니의 사진을 작은 상자에 옮기면서 나는 아내를 잃은 이효석이 마지막으로 사랑했던 왕수복을 떠올렸다. 이효석의 마지막을 지킨 조선 최고의 여가수였던 왕수복은 기생 출신이었다. 동시에 오랫동안 이어진 자위행위와 여자 친구들과의 섹스에 대한 죄책감을 떠올렸다. 죄책감을 불러일으키는 존재는 또 다른 나였다. 그 존재는 평소에는 느껴지지 않다가 어떤 잘못을 했을 때는 나타나서 나를 책망했다. 하지만 한편으로 그 존재는 나보다 더 나약하고 고통에 시달리는 존재처럼 여겨질 때도 있었다. 나는 그 존재를 '어두운 나'라고 이름 붙였고, 이름을 붙이자, 그것은 정말 살아있는 존재처럼 평소에도 수시로 느껴졌다. 그 존재는 어떨 때는 어머니였고, 어떤 경우에는 아버지였다. '어두운 나'는 가까이 오려고 했지만 나는 항상 거리를 두었다. 여자를 만날 때마다 '어두운 나'는 나를 꾸짖었다. 군 복무 중 면회 온 두 번째 여자 친구와 홍천 읍내의 낡은 여관 2층 구석 방에서 섹스를 하다 그만둔 적이 있었다. '어두운 나'가 천장에 매달린 채 나를 보고 있었기 때문이었다.

현재까지 3번 옮긴 나의 회사 생활은 만만치 않았다. 코리아 C에서는 경영관리부, 시설팀, 수입부 등을 전전하였다. 업무 능력이 특별히 모자란 것은 아니었지만, 인사고과에서 인화력은 항상 낙제점을 받았다. 나는 탕비실 근처와 휴게실에서 시시덕거리는 그들의 언어를 경멸했고, 각자 들고 있는 커피에서 풍기는 사치와 탐욕적 취향에 코를 막았다. 다행히, 수입부에서도 쫓겨날 즈음에 회사는 문을 닫았다. 입사한 지 3

년 만이었다. 노조에 가입하였지만 애써 살아남으려고 하지는 않았다. 나 한 명이라도 물러서면 다른 이가 혜택을 받을 수 있을 것이라는 마음도 없지는 않았다. 아내는, 끝까지 노조 편에 남아 인수되는 회사로 가거나 위로금이라도 제대로 챙기려고 하지 않는 나에 대해 무책임하고 실망스럽다고 말했다.

그 말을 들은 다음 날 나는 코리아 C 중계동 지점 앞 참치집에서 혼자 술을 마셨다. 내 옆에는 '어두운 나'가 앉아 있었다. '어두운 나'는 나를 꾸짖지 않았고 걱정하지 말라고 했다. 고맙다고 하면서 '어두운 나'를 껴안으려고 하자 '어두운 나'는 사라졌다. 그 대신에 홍수연이 나타났다. 그녀는 퇴근하면서 우연히 식당 안을 들여다보았고 내가 혼자 있는 것을 보고 들어왔다고 했다. 그녀는 회사가 문을 닫으려고 한다는 말이 돌 때부터 프랑스 유학을 준비했다. 갈 곳이 있어서 좋겠다고 내가 말하자, 수연은 내 눈을 깊숙하게 들여다보면서 "그냥 수레바퀴에 깔리지 않으려고 도망가는 거예요. 대리님도 얼른 도망치세요"라고 말했다. 그녀는 유학을 떠나기 전에 나와 다시 만났다. 그녀가 먼저 만나자고 하였다. 명동의 어느 고깃집이었는데 취하도록 우리는 술을 마셨고, 홍수연은 전철역에서 헤어지면서 눈물을 비쳤다. 나는 그녀의 눈물을 이해할 수 없었지만, 마음 한편에 오랫동안 그 짠한 감정이 남아있었다. 그녀는 훗날 영상자료원 직원이 되었다. 진경과 함께 <애정 만세>를 본 날 그녀는 나에게 먼저 인사를 해줬다. 왠지 다시 만날 것 같은 예감이 드는 순간 다행히 '어두운 나'가 나타나서 나를 막았다.

4.

일본 거래처인 나고야 정밀베어링 회사를 대표해서 방문한 노자키 후루야마 부장은 홍어 삼합을 좋아하는 사람이었다. 나는 삭힌 홍어의 독한 향 때문에 잘 먹지 못하지만 맛있게 먹는 척했다. 부하 직원인 주설영은 아예 입도 대지 못했다. 대신 성격 좋고 식성도 왕성한 최철호 부장이 식사 분위기를 이끌었다. 일본 유학 경험이 있는 최철호는 능숙한 일본어로 노르웨이의 청어를 삭힌 수르스트뢰밍과 중국의 갈치를 삭힌 쥬자오다이 등과 홍어를 비교하는 흥미로운 주제를 끌어냈다. 그러자 노자키는 일본에는 갈고등어를 삭힌 쿠사야가 있는데, 홍어에 비해 독한 향은 덜 하지만 교훈적인 음식이라고 말했다. 그가 교훈적이라고 말한 이유는 일본인다운 것이었다. 도쿄 아래 이즈반도 출신인 그는, 중학교 시절 고향 음식인 쿠사야를 도시락 반찬으로 가져갔다가 독한 냄새 때문에 왕따가 된 이후로 절대 생소한 음식은 남 앞에서 먹지 않게 되었다고 한다. 그래서 한국에 오면 해방감을 느끼며 유독 홍어가 먹고 싶어진다고 덧붙였다. 그러고는 나와 주설영을 번갈아 보며 한국인들도 타인의 시선을 의식하는데 어떻게 이렇게 대놓고 홍어를 먹는지 모르겠다는 말을, 질문도 의견도 아닌 모호한 형태로 말했다. 이에 주설영은 서툰 일본어지만 웃는 얼굴로 진지하게 대답했다.

"한국인들은 다른 사람의 취향에 대해 비교적 관대하게 따라줍니다."

"그렇군요. 그런 점 때문에 한국에 오면 좀 분위기가 자유롭고 또 거칠다고 느껴요."

노자키의 대답에 이어 최철호는 좀 더 설명을 덧붙였다.

"극소수의 튀는 사람들에 대해 일본인들이 반응하지 않으면서 허용하는 것에 반해 한국인들은 튀는 사람들에 대해 표면적으로 동의해 주는 것이 차이가 아닐까 해요."

노자키는 그 말에 고개를 끄덕이는 것으로 동의를 표했다. 나는 그때 설영의 반대하는 표정을 눈에서 읽고는 무릎을 가볍게 툭 치며 말렸다. 국민성을 규정하는 것은 별로 정확하지 않기에 괜히 분위기를 어렵게 끌고 갈 필요는 없었다. 자리가 끝난 후 최철호는 노자키가 묵는 호텔까지 동행해 주기로 했다. 주설영과 나는 그들이 택시를 타고 떠난 후 용산으로 갔다. 한 잔 더 하자는 말에 설영은 "홍어 냄새를 빼기 위해서라도 꼭 이차를 가야겠어요"라며 호응했다. 우리가 도착한 집은 상필과 마지막으로 술을 마신 용산역 맞은편 식당 골목에 있는 하이 멜랑콜리라는 지하 카페였다. 저번에 상필과 진경이 앉았던 자리는 비어있었다. 내가 그 자리에 털썩 앉자, 주설영은 선 채 카페를 두리번거렸다. 저번에 상필이 우리에게 했듯이 내가 "뭐해? 앉지 않고"라고 말하자 주설영은 재킷을 벗고 앉으며 "묘한 분위기네요"라고 말했다.

"자주 오시는 집이에요?"

"아니, 나도 저번에 친구 따라 한번 온 곳."

"근데 택시 타고 올 정도라면 꽤 마음에 드셨나 봐요."

"마음에 들었다기보다 사연이 좀 있죠."

궁금해하는 주설영에게 나는 상필이 얘기를 요약해서 들려 줬다. 설영은 한편으로 놀라고 한편으로는 의아한 표정을 지으며 되물었다.

"어떻게 나와 상관없는 정치적 사건으로 그렇게 싸우고 또 그런 일이 벌어질 수 있죠?"

"세대 차이인가? 우리 세대라고 다 그렇진 않겠지만, 우린 좀 그래."

"그건 그렇고, 한국인들이 타인에게 관대한 것과 동의하는 것은 다른 것 아닌가요? 어떻게 생각하세요?"

"글쎄 잘 모르겠는데. 나는 친구들에게 내심으로는 관대하지도 않았고, 무작정 동의하지도 않는 편이라."

"그러면서 어떻게 오랜 기간 친구로 지낼 수 있었어요?"

"그러게 말이야. 나는 세상살이가 두려워서 친구들을 만났던 것 같아. 내 꿈을 포기하고 살아가는 무의미한 참혹함을 견디기 위해서는 친구들이 필요했던 것 같아. 정확하진 않아요. 지금 물어보니 그렇게 생각이 들 뿐이야."

"꿈이 뭐였는데요?"

"글쎄, 내 꿈은, 책 보고 뭔가를 쓰는 거였는데, 그렇다고 작가나 시인이 되겠다는 구체적인 꿈을 가진 것은 아니었어. 어쩌면 아무것도 하지 않는 것, 어떤 책임이나 죄책감을 원천 봉쇄할 수 있는, 아무것도 하지 않는 것이었던 것 같아."

"그건 애초부터 불가능한 꿈 아니었나요?"

"그런가? 그건 적극적인 것이 아니라 두려움이나 죄책감에서 벗어나기 위한 자구책 같은 거였어. 하지만 살기 위해 뭐라도 해야 했어. 거대한 수레바퀴 아래 사마귀처럼. 직장 생활도 엉망이었고, 친구들은 다들 너무 똑똑하고, 거칠고."

"그런가요? 상무님 회사 생활 잘하시지 않나요?"

"이젠 쫓겨날 때가 되니 익숙해졌나 봐."

나는 웃으며 말을 매듭지었다. 말하고 보니, 진경에 대한 설명이 빠졌지만 구태여 말할 필요는 없었다. 나는 다시 상필이에 얽힌 얘기를 더 했다. 같은 내용이라도 상대가 다르면 문맥과 의미는 달라지는 것 같았다. 설영은 흥미롭게 듣기는 했지만, 엉뚱한 말을 꺼냈다.

"이제 친구의 시대는 지나간 것 같아요. 연인 혹은 파트너만 남은 것 같아요."

"난 연인이나 파트너도 실체가 없는 것 같아."

"그럼 가족만 남은 건가요?"

"그것도 아닌 것 같고, 원래 나하고 같이 살았던 또 다른 나, 나를 감시하고 징벌하는 나만 있는 것 같아."

"글쎄요. 이해하기 힘들어요."

"부모가 의식적으로 나를 버렸다는 생각이 어느 순간 들면서 누군가에게 기대하는 것을 포기한 거지. 그냥 '어두운 나'라는 친구와만 같이 살았던 것 같아."

이 얘기를 끝으로 회사 일 얘기를 잠깐 하고 우리는 카페를 나왔다. 이제 삼십 대 초반인 주설영에게 회사에서는 존댓말을 쓰지만, 바깥에서는 가끔 반말도 쓰는 편이다. 얼마 전 승훈이를 만나러 급히 나갈 때 외투와 폰을 챙겨줄 정도로 주설영은 나와 가까웠다. 그야말로 무난한 외모와 성격에다가 말수도 적은 그녀는 회사원으로서는 최적화된 사람이었다. 그녀가 나를 좋아하는 것을 가끔 느꼈지만, 나는 모른 척했다. 첫사랑과 대학 시절 세 명의 여자, 그리고 이런저런 일로 만나 잠깐 연정을 느낀 또 다른 몇 명의 여자들만으로도 충분했다. 나는 그녀들을 다시 만나면 화해하고 싶었다. 그때 왜 그렇게 마음을 서로 열지 못했는지 알아보고 싶었고, 내 닫힌 마음을 용서해 달라고 요청하고 싶었다. 이런 생각은 상필이가 죽은 이후에 일어난 변화였다. 또 이젠 자신만의 길을 찾은 것 같은 아내와 대학 입학할 정도로 성장한 아이를 보면서 바뀐 생각이기도 했다.

5.

상필의 장례를 치른 후 아내가 천안에 내려가 있는 동안 나는 매일 혼자 술을 마신 탓에 술병이 나서 아침은커녕 점심조차 제대로 먹지도 못했다. 그러면 편의점에서 파는 북엇국을 자주 사주던 주설영은 어느 날 내 책상 옆에 와서는 저녁 식사를 같이하자고 했다. 당돌한 제안에 내가 잠시 대답을 주저하자, 고개를 숙인 채 움직이지 않았다. 나는 할 수 없이 그러자고 했고, 우리는 회사 근처 작은 설렁탕집에서 막걸리를 곁들인 식사를 했다. 밥을 먹으면서 설영은 옆에서 보는 것이 힘들 정도로 내가 엉망이 되는 것 같아서 걱정이라고 말했고, 그 말을 들은 나는 웃으며 곧 괜찮아질 거라고 말하며 고맙다고도 덧붙였다. 화제를 돌리기 위해 나는 설영에게 어떤 영화를 좋아하냐고 물었다. 그녀는 <반지의 제왕>도 좋지만, 사실은 오래된 할리우드 영화를 좋아한다면서 나의 취향을 물었다. 나는 서부극을 좋아한다고 말했지만 사실 기억나는 서부극은 거의 없었다. 식사를 마칠 무렵 설영은 자기 집에 가서 편하게 한 잔 더 하지 않겠냐고 제안했다. 나는 사양했지만, 설영은 가자고 고집을 피웠다.

경동시장 근처 빌라 3층의 열 평 남짓한 집이었다. 그녀는 준비해 둔 듯한 반찬 몇 가지와 굴 무침과 굴전을 내놓으며

"온통 굴밖에 없죠?"라고 말한 후 냉장고에서 맥주를 꺼내왔다. 충주 출신인 주설영은 서울의 대학을 졸업한 후 유통회사에서 3년 근무하다가 이 회사로 옮긴 지 3년 되었다. 유통회사에서 사내 연애를 하던 남자와 동거를 하면서 이 회사로 옮겼고, 한 달 전에 헤어졌다고 했다. 그러면서 말을 이었다.

"화장실에 아직도 그 남자가 쓰던 칫솔과 면도기가 있어요. 아직 못 치우고 있어요."

"왜 그래? 요즘 사람답지 않게. 왜 헤어졌어요?"

"그러게요. 저 좀 구식이죠. 딱히 문제는 없는데 자꾸 사소한 일로 싸우게 되더라고요. 그 남자는 막막한 자기 처지 때문에 나에게 못되게 굴었던 것 같고요."

"그 남자는 어땠는데?"

"별로 전망 없는 회사의 비정규직 직원이었어요. 잘 생겼고요."

"잘생긴 만큼 대접을 안해 줘서 그런 것 아니었어?"

"그런가? 그건 아니고요. 그 사람의 이유 없는 우울함에 저도 덩달아 가라앉았는데, 상무님마저 그 무렵부터 우울해지니, 세상이 온통 우울함으로 가득 차더라고요."

"그럼 나도 헤어진 이유 중 하나네."

"아마 그럴지도 몰라요. 하지만 더 큰 이유는 그 사람이 저를 소유하려고 한다는 생각이 들어서 그랬던 것 같아요. 저 여전히 그 사람 사랑해요. 하지만 ……"

그다음 말이 듣고 싶지 않아서 나는 맥주잔을 부딪쳤다. 그녀의 코 옆의 점이 유난히 돋보였고, 가지런한 치아가 눈에 들어왔다. 설영 역시 화제를 바꾸려는 듯, 굴 무침과 굴전 만드는 것도 그 남자로부터 배운 것이라고 했다. 또 며칠씩 같은 옷을 입고 다니면서 술 냄새를 풍기고 밥도 못 먹는 것을 보고는 걱정되고 궁금했다고 했다. "남자들은 헤어질 때가 되면 일단 외모부터 막 흐트러지더라고요" 하면서 떠난 남자 또한 헤어질 무렵 그랬다고 덧붙였다. 그 말을 마친 후 민망한지 설영은 웃으며 맥주를 들이켰고, 나는 진경을 떠올렸다. 진경은 친구이긴 하지만 애인은 아닌 것 같았다. 그녀는 애인 너머에 있는 어떤 존재였다. 그날 설영은 이렇게 세 번만 더 같이 식사를 하자고 제안했다. 그 이유는 헤어진 남자를 잊는 동시에 나 또한 이성으로 대하고 싶지 않기 때문이라고 했다. 그때 흔들리는 내 곁으로 '어두운 나'가 다가왔다.

나는 이 집에 이렇게 와있는 것조차 무척 불편하다고 말하며 일어섰다. 설영은 고개를 숙이며 미안하다고 힘없이 말했다. 나는 오히려 내가 미안하다고 말하며 코트를 걸쳤다. 설영은 다가와서 내 옷깃을 챙겨주고는 뒤에서 안으며 죄송하다고 말했다. 나는 몸을 돌려 설영의 손을 잡으며 회사에서 어색하지 않았으면 좋겠다고 했다. 그러고는 현관에서 구두를 신는데 도어락 번호를 누르는 소리가 들렸다. 우리는 놀란 채 서로 마주 보았고, 문이 열리면서 그 남자가 들어섰다. 설영은 소리치듯 "창기 씨" 하며 그 남자의 이름을 불렀는데, 그건 분명 반가워하는 목소리였다. 창기라고 불린 그 남자 역시 당황하며 우리를 번갈아 보았고, 나는 빠르게 현관을 빠져나왔다. 마치 범죄 현장을 들킨 것 같은 기분으로 빌라 앞 골목을 빠져나가 큰길에 다다른 나는 담배를 꺼내 물고는 불을 붙였다. 나는 얼어붙어 있고 풍경이 내 앞으로 줌인(zoom-in) 되듯 다가왔다. 왔던 길을 돌아보니 역시 골목 안 길의 풍경이 내 앞으로 다가와서 어지러웠다. 담배를 세 모금 빨자 현기증이 일어났고, 그때 전화벨이 울렸다.

"상무님, 그렇게 가시게 해서 죄송해요."

"아뇨. 그 남자가 돌아와서 다행이에요."

"창기 씨가 돌아온 게 꿈만 같아요. 앞으로 상무님 귀찮게 하지 않을게요."

"귀찮게 한 적 없어요. 그냥 없었던 일로 해요."

"없었던 일로 하긴 힘들겠지만 노력해 볼게요. 조심해서 들어가세요."

나는 담배를 마저 피우고 지나가는 택시를 세웠다. 택시 안에서도 풍경은 나에게 달려들었다. 그래서 눈을 감고 심호흡하는데 기사가 목적지를 물어서 대답하며 눈을 뜨니 풍경은 예전처럼 돌아왔다. 누군가의 대타였다는 생각이 들자 나도 모르게 피식 웃음이 새어 나왔다. 설영은 맹랑한 이기적인 사람이 아니라 순수한 나머지 자신을 너무 쉽게 표현했을 뿐이었다. 그래서 아쉽다거나 분하지도 않았다. 한편으로는 안도하면서 수레바퀴 아래에서 힘겹게 사랑을 두고 다툴 설영과 그녀의 남자를 연민했다. 그러자 '어두운 나'가 가늠할 수 없는 부피감으로 내 앞에 다가왔다. 내가 그를 안으려고 하자 '어두운 나'는 다시 사라졌다. 하지만 이번에는 매정하게 돌아서는 것이 아닌, 따뜻한 느낌이었다. 그것은 또 다른 존재라고 느껴졌다.

6.
상필의 장례를 치른 후 증평에 사는 상필 어머니를 찾아가자고 약속했건만, 우리는 차일피일 미루고 있었다. 상필이 죽은 지 딱 100일이 다가오자 진경이 카톡을 통하여 더 이상 미루지 말고 오는 토요일 증평에 가자고 제안하였다. 과거의 기억을 더듬어 증평의 사리면 사무소 앞에서 일단 만나기로 하였다. 상필 어머니께 상필의 사망 경위를 알린 후 증평에 있는 수목장으로 모시고 갈 계획이었다. 내가 도착했을 때 친구들은 이미 와있었다. 차에서 내리자, 승훈이 무표정한 얼굴로 말했다.

"우리가 일찍 와서 옛날에 가본 동네에 가서 물어보니 어머니가 옥천암이라는 암자로 들어가셨다네."

"옥천암이 어디야?"

"차로 십 분이면 되나 봐."

해발 오백 미터가 넘는 산중턱에 있는 옥천암으로 가기 위해 4차선 도로에서 2차선으로 들어선 후 다시 포장된 외길을 올라가야 했다. 군데군데 잔설이 남은 가파른 길 주변은 전나무가 울창했다. 옥천암은 작은 대웅전과 그보다 더 작은 산신각 그리고 요사채로 이루어진 단출한 사찰이었다. 낡은 승합차 한 대가 서 있는 주차장에 우리 차들이 서자 공양간으로 보이는 곳에서 오십 대로 보이는 여성이 나왔다. 우리는 다 같이 인사를 하였고 승훈이 한발 앞서며 물었다.

"윤상필이라는 아들을 둔 진천 댁이라는 분이 여기 계신다고 해서 ···."

"어떻게 되시는데요?"

"그 아드님 친구들입니다. 어머니께 인사드리려고 왔는데 안 계시는가요?"

"아, 도연 보살님 찾으시는군요. 따라오세요".

그녀는 방문 세 개가 있는 요사채로 향하더니 섬돌 위에 털신이 놓인 왼쪽 방문 앞에 멈춰서 노크를 했다. 그러자 문이 열리면서 참선에서 막 눈을 뜬 사람 특유의 멍한 표정으로 상필 어머니가 앉은 채로 고개를 돌려 우리를 보았다. 진경이 먼저 인사를 했다. 백발을 뒤로 쪽지어 묶은 상필 어머니의 피부색은 칠십 대로 믿기지 않을 만큼 투명하게 빛났고, 지성과 영적 기운이 가득했다.

"안녕하세요? 상필 어머니, 저희는 상필이 친구들입니

다."

"상필이 친구? 추우니 일단 어서 들어와요."

좁은 방에 우리가 들어서는 동안 상필 어머니는 긴 방석을 옆으로 밀치며 우리가 앉을 공간을 만들었다. 수경이 어정쩡하게 서서 "사실은 ……" 하며 말하려고 하자, 상필 어머니는 다 알고 있다는 표정으로 고개를 바쁘게 끄덕이며 앉으라는 손동작을 했다.

"두 달 전 상필이 전처가 다녀갔어요. 다 들었어요."

우리는 동시에 아, 하며 탄식을 내뱉었다. 그러자 담담한 표정이었던 상필 어머니는 방바닥을 향하여 고개를 꺾었다. 방바닥에는 눈물이 뚝뚝 떨어졌다. 진경이 일어나 그녀의 뒤로 가서 껴안았고, 수경은 손을 잡았다. 몇 분 후 상필 어머니는 눈가를 손으로 훔치며 고개를 들고 머리칼을 수습하고는 숨을 고르면서 말했다.

"어쩌겠어요? 제 전생의 업으로 그렇게 간 것을. 상필이 아버지가 제 새끼가 방황하는 것을 보다 못해 데려갔겠죠. 상필이는 무슨 이유에서인지 나에게 한 번도 어려운 티를 내지 않았어요. 아버지를 부끄러워했고, 이렇게 승도 속도 아닌 채로 사는 나를 부끄러워하는 듯했어요."

" …."

우리의 반응이 없자 상필 어머니는 다시 한번 한숨을 내쉬고는 말을 이었다.

"상필이 아버지는 스님이었어요. 내가 진천에서 교사 생활할 때 만나서 환속을 했고, 결혼해서 상필이를 낳고는 몇 년 못가 사고로 저세상으로 가버렸어요. 그때 내가 상필이를 절에 맡겼어야 했는데···. 이런, 차라도 한잔해야지."

　상필 어머니는 분위기를 바꾸려는 듯 물을 끓여 우리에게 차를 한 잔씩 내주며 상필의 교통사고에 관해 물었고, 우리는 적당한 수준에서 단순 교통사고였다는 것을 강조하며 대답했다. 그리고 상필과 우리가 함께 지낸 이십 년이 넘는 시간을 번갈아 가며 설명했다. 상필 어머니는 친구들의 우정에 대해서는 웃으며 반가워했고, 상필이의 힘든 시간에 관해서는 눈물을 비추며 한숨을 쉬곤 했다. 그러기를 한 시간쯤 하다, 대화가 소강상태에 접어들자, 상필 어머니는 눈을 감았다. 눈꺼풀 겉으로 눈동자가 빠르게 움직이는 것이 보였다. 잠시 후 눈을 뜬 상필 어머니는 몽롱한 표정으로 말했다.

　"친구들이 전생에 다 상필이와 가족이었네."

　그러고는 한 명씩 가리키며, 수경은 아내였고, 승훈은 작은형, 나는 큰형이었고, 진경은 어머니였다고 덧붙였다. 우리는 웃지도 울지도 못하고 서로 얼굴을 쳐다보며 듣고만 있었다.

　"다들 저 추운 연해주와 만주에서 힘들게 살았네."

　"어머니, 앞으로 어떻게 살아야 할까요?"

　계획에도 없던 말이 내 입에서 불쑥 튀어나왔다. 상필 어머니는 어느새 잔잔한 표정이 되어 다시 차를 따라주며 나지막이 말했다.

"오늘 여기 찾아온 것 자체가 부처님을 만나러 온 것 아니겠어요? 일단 계기가 주어졌으니, 뭐든 가치 있는 것을 믿어보세요. 상필이가 믿었던 것은, 가치라기보다는 과거와 현재를 바꾸려고 하는 좋은 의지였는데, 그것만으로는 안 되는 것이었어요. 더 근본적인 것을 찾아보세요."

"종교를 가지라는 말씀인가요?"

"글쎄요. 난 스님을 환속시킨 죄로 반평생을 절에서 지내는 행복한 벌을 누리고 있지만, 여전히 법이 뭔지 모르겠어요. 다만 선을 추구하는 근원적인 믿음이 필요하다는 말만 할 수 있어요. 성경에 나오는 바울이 그리스도인을 처단하는 데 앞장서다가 가장 독실한 전도사가 된 것처럼 여러분도 그렇게 될 수 있어요. 아니 될 수 있다는 믿음을 가져야 해요. 그런 믿음 없이 어떻게 이 험한 세상의 수레바퀴 아래에서 살아갈 수 있겠어요. 그건 더 좋은 것을 찾아가는 것이 아니라, 그냥 절망적 생존력을 위한 것입니다. 상필이는 항상 불이 깜빡이는 건널목 위에 서서 힘들게 살았을 거예요. 생존력이 부족했던 거죠. 여러분은 그러지 마세요."

그 말이 끝나자 갑자기 시원한 기운이 온 방을 가득 채웠다. 우리는 잠시 숙연한 채 차만 홀짝이며 마셨지만, 나의 마음은 말로 표현할 수 없이 터질 듯한 답답함으로 가득 찼다. 각자의 찻잔이 거의 다 비자 상필 어머니가 웃으면서 말했다.

"이제 집에 안 갑니까?"

그 말에 우리도 따라 소리내어 웃었다.

"저녁 공양하고 가시든가?"

"아닙니다. 저희도 길 밀리기 전에 일어나겠습니다."

내가 손을 저으면 일어서는 시늉을 하자 모두 일어섰다. 산사의 겨울 하늘은 회색으로 잔뜩 찌푸리고 있었다. 우리는 대웅전에서 삼배를 올리고 상필 어머니에게 깊숙이 고개를 숙여 인사를 하고는 차에 올랐다. 이제 그녀는 울지 않았다. 찾아와 줘서 고맙다는 말과 함께 우리에게 손을 흔들면서도 온화한 표정으로 먼 곳을 바라보고 있었다.

7.

그날 우리는 각자의 차로 이동하여 주차를 한 후 종로의 한 중국집에서 다시 만났다. 몇 가지 주문한 요리가 나오자, 허기가 졌던 우리는 말 없이 허겁지겁 음식을 먹는데, 진경이 물었다.

"우리 술 안 시켜?"

"시켜야지. 진경이 네 맘대로 시켜."

진경은 큰 고량주 한 병을 거침없이 따더니, 우리 잔에 가득 따른 후 "잠깐만 기다려. 저기 사장님 잔 하나 더 주세요"

했다. 잔이 오자 그 잔에도 술을 넘치도록 따랐다. 모두는 그 잔이 상필의 잔이라는 것을 알았다. 수경이 진경에게 건배사를 하라고 하자, 진경은 조금도 망설임 없이 소리치듯 말했다.

"상필을 위하여."

모두 잔을 비우자, 진경은 반복해서 다섯 번이나 다시 잔을 채우고는 상필을 위한 건배를 했다. 삼십 분도 지나지 않아 우리는 모두 술에 취했고, 수경은 안주를 집던 젓가락을 탁, 소리 내며 놓고는 울었다. 승훈이 수경의 어깨를 감싸자, 수경은 승훈의 품에 안기며 이제 소리를 내며 울었다. 모두의 눈가에는 눈물이 축축했다. 내가 담배를 피우러 나가자, 진경도 따라 나왔다. 낮에 흐리던 하늘에서는 이제 눈이 펑펑 내리고 있었다. 눈이 담배에 앉아 작은 얼룩이 질 정도였고 바람이 불어 겨우 담뱃불을 붙여 두 모금을 피운 후 나는 말했다.

"아까 상필이 어머니가 하신 말 중에 절망적 생존력이라는 말이 자꾸 떠오르네."

"딱 맞는 말이네. 지금 승훈이와 수경이가 저렇게 화해하는 것도 절망적 생존을 위한 것이 아닐까?"

"난 자주 내가 굴러오는 수레바퀴를 마주한 사마귀 같다는 생각을 했거든."

"사마귀? 왜 하필 사마귀야, 뻐꾸기가 아니고?"

"그러게 말이야. 얌체 같은 뻐꾸기는 아버지가 나에게 들씌운 희망 사항이고, 난 겉으로는 삐쭉삐쭉 창칼을 지닌 것 같지만, 사실은 제 몸 하나 겨우 건사하는 앙상한 사마귀에 불과하다고 생각했어."

"왜 그런 생각을 한 것 같아?"

"글쎄 냉소적인 아버지로부터 전염된 우울감 때문인 것 같기도 하고, 가정을 이루고 사는 것에 대한 두려움도 있는 것 같고."

그때 수경과 승훈이 가방과 옷을 챙겨 입으며 나왔다.

"왜, 가려고?"

"응, 너무 취해서 가려고. 사실은 우리 둘이 따로 할 얘기도 좀 있고."

"알았어. 조심해서 들어가."

"내가 계산했다. 잘 들어가. 기억하지, 어머니가 하신 말씀? 절망적이지만 생존해야 한다는 거!"

"그래, 그래. 들어가."

수경이 승훈을 끌고 가다시피 하면서 들뜬 목소리로 말하고는 뒤돌아보지 않은 채 왼팔을 번쩍 들었다 내리며 걸어갔다. 둘의 뒷모습을 몇 초 동안 쳐다보다가 진경이 물었다.

"어떡하지, 우리?"

"우린 마저 마시고 가자."

진경과 나는 다시 들어가서 삼분의 일가량 남은 고량주를 나눠서 마시며 대화를 이어갔다. 진경은 약간 장난스럽게 웃으며 되물었다.

"아까 하던 얘기를 계속하자면, 내가 너에게 선물이 되어주겠다는데도 그래?"

"아니, 그 말을 듣고 많은 생각을 했어. 그리고 결심도 하고."

"무슨 결심?"

"세상의 모든 여자에게서 벗어나겠다고. 단 진경이 너만 빼고."

"그건 왜?"

"모든 여자에게서 벗어나야 그 지독한 우울감과 어떤 책임감에서 벗어날 수 있을 것 같아서 그런 거고. 너는 그것을 가능하게끔 해 주는 지렛대니까."

진경은 그 말에 희미한 미소를 띠었다.

"고맙다고 해야 하나? 뭐라고 말해야 하지?"

그렇게 말하고는 마지막 남은 술을 두 잔에 붓고는 조용히 속삭이듯 건배사를 했다.

"절망적 생존을 위하여"

마지막 잔을 들이킨 후 우리는 더 이상 말하지 않았다. 진경은 중국집을 나오면서 내 팔짱을 끼고는 택시에 타서도 자기 팔을 풀지 않았다. 나는 진경을 집 앞에 내려주고, 그 택시를 타고 곧장 집으로 왔다. 눈이 펑펑 내리는 아파트 입구에서 진경은 활짝 웃으며 손을 조그맣게 저으며 인사했다. 아내와 아이가 없는 집은 기운조차 캄캄했다. 거실의 미등만 켜둔 채 식탁에 앉아 물을 마시며 나는 담배를 피웠다. 미등의 빛을 받은 담배 연기는 푸르스름한 색깔로 피어올랐다. 그때 전화벨이 울려서 담배를 접시에 올려놓은 채 나는 전화를 받았다. 진경이 대뜸 물었다.

"왜 그냥 갔어?"

"오늘은 더 이상 말하지 않는 것이 좋을 것 같아서."

"그래 잘했어. 괜찮은 거지?"

"넌?"

"나도 괜찮아."

"우리 어떡하지?"

"뭘 어떡해? 바보야. 그냥 그대로 살면 돼. 오늘 모든 답을 다 들었잖아."

" …. "

"좋은 것을 찾아가는 것이 아니라, 절망 속에서 가치 있는 뭔가를 믿으며 생존해야 한다고 하셨잖아."

"그럼 나도 너에게 선물이 될 수 있을까?"

"이미 넌 나에게 선물이야. 좀 찌그러진 통에 담겨 있긴 했지만, 처음 만났을 때부터 선물이었어. 그러니 아무것도 애서 바꾸려고 하지 마. 이혼해도 나와의 관계가 달라질 건 없어. 그냥 우린 좋은 친구야 우린. 다만 …."

"다만, 뭐?"

"수레바퀴 아래에서 벗어나. 자기연민에서 벗어나라고, 제발. 우선 네 눈의 눈물부터 닦으란 말이야. 그래야 남의 눈물도 닦아줄 수 있잖아."

"그래, 노력해 볼게."

"다시 잔소리를 좀 하자면, 「수레바퀴 아래서」의 주인공 한스처럼 세상에 시달리다가 술에 취해 강물에 빠져 죽기에는 이젠 나이가 너무 많다고!"

"알았어, 알았다고! 수레바퀴 아래라는 것을 아는 것만으로도 가능성이 있지?"

"그럼, 당연하지. 믿을게."

마지막 단어를 말할 때 진경의 목소리는 가늘게 떨렸다. 그래서 몇 초 동안 우리는 통화를 멈추었다. 나는 뭔가 말해야 한다는 생각이 들었지만, 차마 말할 수 없었다. 진경도 그랬을지 모른다. 나는 "사랑해."라고 말할 뻔했다. 이 말은, 내가 아내를 포함한 숱한 여성들과 지내면서 한 번도 하지 않았던 말이었다. 흥분한 섹스의 절정 순간에도 절대 하지 않았던 말이었다. 그 대신 이렇게 말했다.

"함께 해줘서 고마워."

그 순간 '어두운 나'가 내 옆으로 와서 나를 껴안는 것을 분명히 느낄 수 있었다. 그는 이젠 '어두운 나'가 아니라 '밝은 나'였으며, 부드럽고 따뜻했다. 그 '밝은 나'는 내가 무엇을 하든 내 편이 되어주는 존재라는 느낌이 들었다. 진경은 아무 말도 하지 않았다. 하지만 진경이 바로 내 곁에서 나를 껴안으며 따뜻한 입김을 내뿜으며 "사랑해"라고 말하는 것처럼 느껴졌다. 그 순간 진경이 말했다.

"나 사실 말할 게 있어."

"뭐?"

"나, 한동안 한국을 떠나게 되었어."

"얼마나? 왜 갑자기?"

"미국에 있던 전 남편이 큰 사고를 당해서 병원에 있는데 아무도 돌볼 사람이 없나 봐. 겸사겸사 가는 거야. 돌봐야 하면 돌보고 임종이라도 지켜줘야 하면 그래야겠지. 하여튼 그래."

"그렇구나. 언제 결정된 일이야?"

"나도 며칠 전에 알았어. 시댁 쪽 법률 대리인이 알려줬어. 일 년이 될지 삼 년이 될지 알 수는 없고. 간 김에 나도 공부나 하려고."

잘 다녀오라고 말해야 한다고 생각하면서도 내 입에서는 엉뚱한 말이 나왔다.

"그러면 나는 어떡해?"

"이런 바보. 이제 너 수레바퀴 아래에서 벗어났잖아."

"그런가?"

"여하튼 …… 너에게 나는 언제나 선물이니까 너도 나

에게 온전한 선물이 되도록 해봐."

"그럼, 이렇게 우리 헤어지는 거야?"

"어허, 그거 아니라니까. 또 연락할게, 일단 잘 자."

"보고 싶을 거야. 호수만큼."

"호수만큼?"

"정지용이, 그럴 땐 눈을 감으면 된다고 했어. 어머니가 돌아가시기 전에 읽었던 시가 바로 그 시야.「호수 1」이라고."

"어머니가 그러셨구나. 슬프네. 나도 읽어볼게."

"그래. 언제 출국해?"

"모레."

"그렇구나."

"비택아."

"응?"

"우리 곁에 있어 줘서 고마워."

진경은 '내 곁'이라고 말하지 않고 '우리 곁'이라고 말했다. 그럼으로써 상필을 포함한 다섯 명의 친구들을 환기하는 동시에 나의 존재감을 부각해 주었다. 하지만 그 말이 나에게는 "사랑해"로 번역되어서 들렸다. 순간 뜨거운 열기가 내 몸을 뚫고 지나갔다. 통화는 그렇게 끝났다. '고마워'라는 음성과 '사랑해'라는 글자가 밤새 내 몸과 머리를 헤집고 다녔다. 그 날 나는 어린 시절 이후 몇십 년 만에 모처럼 깊은 잠을 잘

수 있었다. 꿈속에서 상필과 진경은 대학 시절 놀러 갔던 양수리 개울가에서 웃으며 물장난을 치고 있었고, 수경과 승훈은 그것을 보며 웃고 있었다. 다리 위에 있던 내 곁에는 '밝은 나'도 있었는데, 나는 웃으며 그와 어깨동무하고는 강으로 뛰어들었다. 그 강은 한스가 빠진 시커먼 강이 아니라, 시인 정지용이 노래했던 "넓은 벌 동쪽 끝으로 옛이야기 지줄대는 실개천이 회돌아 나가"는 개울이었다.

이효인

영화운동, 영화평론, 영화사 연구를 주로 하다가, 소설 『멜랑콜리 연남동』(사간서원, 2020)을 출간하면서 어린 시절의 꿈을 이룰 수 있었다. 서울영화집단, 민족영화연구소 등에서 활동하였으며, 서울독립영화제 집행위원장, 한국영상자료원 원장을 거쳐 현재 경희대학교 연극영화학과 교수로 재직 중이다.

　　『한국영화역사강의 1』(이론과 실천, 1992), 『한국 근대영화의 기원』(박이정, 2017), 『한국 근대영화사』(공저, 돌베개, 2019), 『한국 뉴웨이브 영화』(박이정, 2020), 『한국 뉴웨이브 영화와 작은 역사』(한상언 영화연구소, 2021) 등을 펴냈다.